D0679994
Bromley Libraries
3 0128 03064470 5

COLLECTION FOLIO

Mehdi Charef

À bras-le-cœur

Mercure de France

Écrivain, cinéaste et dramaturge, Mehdi Charef est né en Algérie en 1952. Au début des années cinquante, son père part travailler en France comme terrassier, puis fait venir sa famille. Mehdi Charef grandit dans les cités de transit et les bidonvilles.

Son premier roman *Le thé au harem d'Archi Ahmed* (Folio n° 1958), paru en 1983, a été porté à l'écran, et sa pièce *1962* a été montée au théâtre en 2005. Mehdi Charef est également l'auteur du *Harki de Meriem* (Folio n° 2310) et de *La maison d'Alexina* (Folio n° 3402).

Enfant, je portais des robes, c'est ma mère qui me l'a dit. Elle n'avait pas les moyens de m'acheter des pantalons. Une robe pour un enfant, ce n'est qu'un bout de tissu, ce qu'il y a de moins cher. Et puis, dans notre hameau planté au sommet d'un reg caillouteux, loin de la ville, il n'y avait pas de honte à ce qu'un garçon de quatre ans erre et joue nu-pieds ainsi vêtu.

Je portais donc une robe, qui sans doute tombait en haillons sur mes pieds, fuyant le veau qui s'amusait à me renverser dans la poussière. Je riais aux éclats. Je me sauvais ; il me rattrapait dans un coin de la cour de notre gourbi et me culbutait sans peine d'un coup de tête. Il trépignait de joie. Ensuite il me piquait gentiment avec ses cornes ; je roulais sur le sol, cherchais à éviter les chatouilles. Il me suivait, m'empêchait de me relever. C'était son jeu préféré. Nous avions grandi ensemble, ce veau et moi ; il me cherchait en rentrant du pâturage. Si je n'avais pas envie de jouer avec lui, il restait au milieu de la cour et ruminait tristement.

J'étais donc dans la cour, criant dans les oreilles du veau — il détestait ça —, lorsque j'entendis maman dire à ma sœur Amaria, de trois ans plus âgée que moi, d'aller puiser de l'eau. Ma sœur sortit de la cuisine avec un seau en fer-blanc sur la hanche et un torchon plié en quatre sur sa tête pour que le seau, une fois plein, ne lui fasse pas mal. Tandis que ma mère battait le lait sur le kanoun, j'entendais son clapotis sur le feu avant qu'il ne se transforme en fromage. J'ai abandonné le veau et, fuyant la brûlure du soleil, je me suis assis jambes croisées sur la terre glaise à l'ombre du mur de chaume à l'odeur de foin broyé. Je voyais ma mère de profil dans la cuisine. Elle avait une main sur son ventre rond ; avec l'autre elle balançait l'outre pendue au trépied bancal. Je l'observais en me disant que j'avais bien de la chance d'avoir une maman aussi belle. Je m'en félicitais intérieurement, j'étais fier d'elle.

Je regardais maman avec des yeux pleins d'admiration, des yeux rêveurs qui me donnaient un air triste. C'est pourquoi lorsqu'elle me surprenait dans cet état elle croyait que je boudais et que je la réclamais. De toute façon elle n'avait jamais le temps. Sauf le soir, autour du feu avec les autres femmes ; là, elle acceptait de me laisser poser la joue sur sa cuisse ; elle avançait la lampe à pétrole et, tout en bavardant avec les autres femmes, avec l'ongle de son pouce elle écrasait les petits parasites qu'elle dénichait dans mes cheveux mal coupés — car c'était mon père qui me coiffait avec les ciseaux destinés à tondre les moutons.

J'étais donc en train d'admirer maman quand, soudain, on entendit un énorme plouf ! Les poules de la basse-cour volèrent en poussant des caquètements stridents.

Ma mère se leva brusquement, trop brusquement pour son gros ventre : elle grimaça, fléchit, s'appuya contre le mur, défigurée par la douleur. Elle courut péniblement réveiller mon père qui faisait la sieste. Dans la chambre elle hurla :

— Va vite au puits, vite, vite !

Papa sortit en hâte, pieds nus, tête nue, épaules nues. Il traversa la cour avec un regard terrible que je ne lui connaissais pas où se mêlaient le désespoir et une lueur de folie. Ce sentiment, dont je ne connaissais pas encore le nom et que je surpris ce jour-là furtivement dans les yeux de mon père, allait me marquer à jamais et laisser une empreinte indélébile sur mon existence. Si, bien des années plus tard, dans des rades crasseux et sordides de la banlieue nord, j'ai accepté de boire des nuits entières avec des moribonds qui disaient que la vie était un tas de merde, si j'ai accepté de trinquer avec de la bière infecte et bon marché, c'est parce que ce jour-là j'ai vu mon père pleurer.

Ma mère l'avait suivi vers le puits, courbée, le ventre bas, prête à s'arracher les cheveux et à se griffer la peau des cuisses et du visage jusqu'au sang, comme le font les pleureuses traditionnelles du reg lors du décès d'un inconnu et avec l'espoir d'obtenir un litre d'huile et un pain de sucre, mais là, il ne s'agissait pas d'un inconnu.

La nuit, je dormais près de ma mère. Nous n'avions pas de lits à pieds, avec sommier et matelas. Nous étions à même le sol, sur des couches d'étoffes rembourrées de laine, cousues par nos mères. À quatre ans, je faisais toujours pipi au lit, ce qui provoquait la colère et le chagrin de maman, obligée de lessiver régulièrement au bord de la rivière ma literie fine et délicate. Les lavages fréquents entamaient le lustre de la belle étoffe et usaient les bras de ma mère. Lorsque, après la mort de ma sœur, maman perdit la tête, elle roulait parfois un morceau de tissu en forme de cigarette, en allumait le bout à la flamme d'une bougie et, me tenant fermement coincé entre ses genoux, elle me brûlait le pubis à différents endroits soi-disant pour que j'apprenne à me retenir d'uriner pendant mon sommeil. Je hurlais de douleur, mais je pleurais surtout parce que je devinais que la disparition de ma sœur avait rendu ma mère désespérée.

— Tu as un petit frère, tu es content ? me dit une femme au visage lumineux et à la voix exaltée.

Maman venait d'accoucher. Ses cris m'avaient réveillé au milieu de la nuit. Des femmes l'entouraient et préparaient le thé, le café et les galettes noires. Je ne sais pas si j'étais réellement content d'avoir un petit frère, qui risquait de prendre ma place dans le cœur de ma mère. Enfant, c'est la seule chose qui nous préoccupe.

Maman, je préférais l'avoir à moi tout seul, ainsi que mon père. Le petit frère ou la petite sœur qui vient de naître et avec qui tu vas jouer, que tu vas porter sur ton dos... ce sont des phrases de grands : quand on est petit, on s'en fiche. J'ai assisté à l'accouchement de ma mère, et tout ce que j'en ai retenu, c'est cela : j'ai vu son visage déformé par la douleur ; j'ai compris qu'à ce moment-là elle était totalement seule, et que cette souffrance aiguë était due plus à cette terrible solitude qu'à la douleur elle-même. Ses mains crispées luisaient de sueur, griffaient le sol sous l'étoffe, comme si elle essayait de se débarrasser de la fatalité qui pesait sur nous dans ce gourbi sombre. Apaisée mais en larmes, elle révéla le prénom qu'elle avait choisi pour l'enfant qui vagissait sur son ventre, un prénom qu'elle avait sans doute auparavant soumis à l'approbation de mon père : Bekhiti. C'était le nom du clan de ma mère et le prénom de son frère aîné récemment fusillé par l'armée française. Toutes les femmes autour de maman se mirent alors à pleurer : l'oncle Bekhiti avait laissé une veuve et deux enfants en bas âge.

Mon père et ma mère étaient heureux de l'arrivée de ce petit frère. Ils se le passaient délicatement en le couvrant de baisers. J'allais au bord de la rivière m'asseoir à l'ombre du figuier. Les promenades autour du hameau me paraissaient fades. Amaria n'était plus là pour me surveiller et m'accompagner. En été, le lit de la rivière était bien bas et, même au milieu, les enfants nus, la peau hâlée, n'avaient de l'eau que jusqu'au ventre. Moi, je n'entrerais plus jamais dans cette rivière, à cause de cette eau justement...

Notre déménagement du hameau vers la ville se fit en un seul voyage ; nous n'avions pas grand-chose à emporter. Derrière elle, ma mère laissait surtout le souvenir d'une période pesante due au harcèlement moral qu'exerçait quotidiennement sur elle sa belle-mère. Mon père conduisait la carriole. À mesure que nous nous éloignions du hameau et du reg, je devinais qu'une sorte de joie envahissait maman, même si elle essayait de la dissimuler sous son haïk. À l'époque, je voyais déjà tout, et j'étais heureux de surprendre, en cachette, ce sentiment merveilleux de soulagement. Elle avait dit à mon père qu'elle ne voulait plus vivre à l'endroit où sa fille chérie était morte. Alors nous quittions la colline de mon enfance. Que de tourments pour mon père qui, jamais, n'avait imaginé quitter ni son reg ni sa mère ! Et que dire à cette dernière qui avait sûrement enduré elle-même ce qu'elle avait fait subir à sa bru ?

Dans son désespoir, ma mère avait juré qu'elle quitterait ce désert plein de poux et de malheurs, qu'elle s'en irait avec ses enfants, quitte à abandonner mon père, de ce lieu maudit où l'on n'avait rien d'autre à faire qu'attendre tristement que Dieu veuille bien nous donner quelque chose ! Et encore fallait-il Lui adresser des prières, avec l'espoir qu'Il les exaucerait peut-être... Mon père était parti en ville chercher une chambre à louer. Sans doute avait-il essuyé le commentaire moqueur et dévalorisant de sa propre mère : « Tu écoutes ta femme ? » Habiter la ville, côtoyer les citadins en chaussures, ceux qui étaient surnommés chez nous les Kwatas, les Koweïtiens, personne avant ma mère n'avait osé y songer. Raison de plus pour être fier d'elle !

Notre nouvelle demeure dans la médina comptait quatre pièces : deux étaient occupées par le propriétaire, une était louée à une vieille femme noire et son fils handicapé, la dernière était pour nous. Aussitôt le seuil franchi, ma mère alla se recroqueviller dans le coin le plus sombre de notre logis, le front sur les genoux, les mains sur la tête. Mon père se pencha sur elle :

— Qu'est-ce que tu as ?
— Tu as vu la cour ?
— La cour ?
— La cour de cette maison.
— Qu'est-ce qu'elle a de si effrayant ?
— Il y a un puits !
Sacré mon père !

Quelques années plus tard, ma mère nous mit à l'école, mon frère et moi, mais nous ne possédions pas les habits convenables pour fréquenter ce nouveau monde. Je ne sais pas ce qui se passa pour mon frère, car on nous sépara dès le premier jour. Dans ma classe, mes camarades épiaient mes moindres faits et gestes. Je me corrigeais sans arrêt, j'essayais de faire croire que j'étais un élève curieux, habitué à écouter et à comprendre la langue du colon, l'instituteur. C'était la première fois de ma vie que je restais aussi longtemps assis, qui plus est sur un banc et les coudes sur la table. Mes camarades de classe m'intriguaient : ils avaient l'air ravi de venir tous les jours à l'école, cartable à la main. Les élèves français étaient insouciants, la cour leur appartenait ; ils débordaient d'énergie dans tous les jeux. Ils étaient au paradis. Nous autres, fils d'indigènes, nous étions envieux.

Une femme en blanc a examiné ma bouche, puis ma tête ; elle voulait tester ma vue mais je ne savais pas lire les lettres de l'alphabet sur la planche accrochée au mur. Elle m'a pesé. Ensuite elle m'a tendu une convocation pour que je me rende au poste militaire qui abritait le dispensaire situé dans un ancien *fendek*, un garage pour les chevaux et les ânes des paysans qui venaient au marché. Quand elle a compris que personne dans ma famille ne saurait lire la feuille de papier qu'elle venait de me donner, elle l'a reprise et l'a jetée à la poubelle. Un surveillant arabe m'a traduit ce que l'infirmière attendait de moi. J'ai acquiescé de la tête. Pour finir, elle m'a inscrit sur la liste des enfants mal nourris. J'avais droit à un repas par semaine à la cantine de l'école. Dans la cour, les garçons de ma classe m'ont pris à part et m'ont interrogé. Ils refusaient de croire que mon père avait émigré en France pour payer le loyer de la chambre qu'on avait louée et pour qu'on puisse acheter un peu à manger. Ils ont éclaté de rire. Leur chef, Viala, a gonflé sa bouche et, avec l'index, il a appuyé sur sa joue en imitant un bruit de pet.

— C'est du vent, ton histoire, qu'il a dit. Ton père a rejoint le maquis ! Vous autres, les enfants du reg, vous êtes tous des fils de fellaghas !

Je n'ai pas cherché à les contredire. Même les élèves arabes nés dans la médina approuvaient Viala. Ils étaient propres, instruits, et admiraient notre maîtresse d'école. Ils avaient bien de la chance.

Je me suis rendu au poste militaire. Un médecin de l'armée m'a piqué l'épaule avec une grande seringue. J'ai eu très mal mais j'ai serré les dents. Il m'a appris à dire mon âge en français, sept ans, et m'a fait comprendre de revenir un certain jour. Son assistant m'a offert un gobelet de lait qui avait un goût étrange, sans doute à cause des médicaments qu'on avait mélangés avec. La douleur dans l'épaule m'empêchait de courir. Grâce à quoi je ne fus pas pris dans une rafle d'indigènes qui eut lieu au même moment, ni bloqué par un barrage mobile de rouleaux de fils barbelés dressé par les militaires. Sous les burnous, la rumeur parlait du meurtre de deux individus suspects surpris dans une arrière-boutique. Après la fouille, sous la canicule, les fils de fer barbelés se sont rouverts.

Papa ne voulait pas emprunter de l'argent à son père ni à son frère pour acheter le billet qui lui permettrait d'aller travailler en France. Il les aurait alors privés de leurs maigres économies et, de toutes les façons, cela n'aurait pas suffi. Il est donc allé chez l'épicier de la route de Tlemcen, un de nos cousins. Il lui a « acheté » pour douze mille francs de sucre — une somme que mon père ne possédait pas et une quantité de sucre qu'on ne verrait jamais. L'épicier rachetait son sucre neuf mille francs à mon père : il gagnait ainsi trois mille francs sur le prêt qu'il nous accordait. Toutes les transactions se déroulaient de cette manière.

Lorsque mon père est parti à la gare prendre le train qui le menait au bateau d'Oran, nous ne l'avons pas accompagné. Je ne me souviens pas s'il nous a beaucoup embrassés avant de nous quitter, et si nous avons tous pleuré. Je pense à cela parce que, bien des années plus tard, lorsque adolescent je me suis retrouvé en prison, le psychologue qui me suivait a écrit dans son rapport que, durant mon enfance, j'avais sans doute souffert de l'absence de mon père, d'un manque d'affection et, surtout, qu'enfant j'avais interprété son départ comme une fuite, une trahison. J'aurais considéré mon père comme un traître qui nous avait abandonnés ; d'où l'explication de cette violence qui m'avait conduit tout droit devant ce monsieur.

En rentrant de l'école, j'ai piqué une crise de nerfs dans les bras de ma mère. L'institutrice m'avait donné un mot à faire signer par mes parents. Ne sachant pas écrire, ma mère a demandé au propriétaire de la maison à qui nous louions la chambre de signer à sa place. Je me suis mis à hurler, à pleurer de rage : je ne voulais pas que ce sale type touche à ma feuille. Il riait de mon malheur, il était moche, il avait des gencives rougeâtres édentées et des paupières tombantes toujours humides. Je détestais ce gringalet répugnant. J'en voulais aussi à ma mère qui riait, croyant que je faisais un caprice ; j'en voulais surtout à mon père, absent, et aux milliers de kilomètres qui nous séparaient.

Plus que du dépit, cette vive déception causa en moi une blessure profonde. Bientôt, je me retrouvai à errer dans le marché couvert. Je déambulais dans les allées étroites, à l'abri de la canicule ; je suivais de loin les gamins arabes qui portaient de grands couffins d'osier remplis de victuailles pour des colons qui les devançaient d'étal en étal. Certains couffins étaient parfois si chargés qu'ils débordaient et que les gosses n'y voyaient plus rien. Malgré tout, j'enviais ces porteurs : ils gagnaient cinquante centimes la course. Dans toute la boucherie, l'air empestait la viande graisseuse, puanteur encore accentuée par la moiteur ambiante. À l'heure de la sieste, je préférais aller m'étendre sur le ciment frais de l'allée des épices d'où s'exhalaient tant de parfums. C'est là, au pied de la fontaine à trois étages, que j'aimais m'allonger, en écoutant le son voluptueux et langoureux de l'eau qui cascadait au-dessus de moi, tout en rognant avec mes dents l'intérieur sucré d'une peau de banane ramassée par terre. Je veillais à ne pas m'assoupir à l'air libre sur un trottoir d'une rue de la médina, craignant de rencontrer les soldats de la Croix-Rouge. Ils faisaient leur ronde à la recherche des enfants en haillons qui rôdaient sous la canicule comme des chiens sans collier, et ils les embarquaient en camion pour les conduire jusqu'à la seringue terrifiante du médecin chef.

La maîtresse d'école commentait la géographie de l'Algérie en lisant la carte qu'elle avait déployée sur le tableau noir.

— Nous sommes ici, dit-elle, sur cette partie pâle de la carte, dans une région sèche et aride, très près du Maroc et de la mer. Alger est là, très loin : c'est notre capitale. Il faut compter toute une journée de train, en partant tôt le matin, pour s'y rendre. Mais nous, de Marnia, nous n'y allons jamais parce que nous avons la chance de n'être qu'à une centaine de kilomètres d'Oran, la deuxième grande ville du pays où l'on trouve tout ce dont on a besoin, tout ce qu'il n'y a pas ici, une automobile, par exemple...

Cette lecture me transporta d'aise et de plaisir ; elle eut le don merveilleux de m'éveiller à la découverte et au voyage. Je suivais avec une attention éblouie le bout de la règle de notre maîtresse qui, à l'aide de traits, de points et de cercles, soulignait les caractéristiques essentielles de notre grand pays, donnait vie et allure à cette carte muette. C'était la première fois qu'on m'enseignait la science naturelle et humaine de mon pays. Avant cela, sans instruction, mon horizon se limitait à ma taille d'enfant. Je pensais qu'il n'y avait que nous, les tribus du reg, et ceux qui vivaient en ville : un point c'est tout. Le plus loin, même Oran, où mon père avait embarqué pour la France, ce plus loin, je ne l'envisageais pas, je ne le comprenais pas.

J'appris aussi que nous étions tout près de la mer. J'imaginais difficilement de quoi il s'agissait : j'avais juste compris que cela représentait beaucoup d'eau et que les bateaux naviguaient dessus... La maîtresse posait des questions : était-elle aussi vaste qu'on le disait ? Était-il vrai que même un bon nageur ne pouvait pas la traverser ? Les élèves français levaient tous le doigt : ils allaient souvent se baigner en famille à Port-Saïd, la plage la plus proche de chez nous. Quelques Arabes levaient aussi la main, même s'ils s'y rendaient moins souvent. C'étaient toujours les mêmes, ceux qui portaient des chemises et des pantalons (j'en étais encore à la culotte courte), et qui s'exprimaient couramment en français : des fils de caïds et de fonctionnaires. Je l'ai déjà dit, je les enviais ; mais je le taisais à ma mère qui, pour soulager sa misère, murmurait souvent que, chez eux, l'argent tenait la place de Dieu. Heureusement, la maîtresse n'a pas demandé à ceux qui n'avaient jamais vu la mer de se faire connaître. Si, par curiosité, elle l'avait fait, j'aurais disparu sous ma table à la recherche d'un crayon que j'aurais volontairement laissé tomber, le temps qu'on passe à un autre sujet, comme j'avais l'habitude de faire quand elle nous interrogeait sur un thème délicat qui me gênait.

J'étais agréablement surpris de l'enthousiasme que mettait notre maîtresse à parcourir cette carte de l'Algérie. C'était nouveau pour nous tous, car c'était la France qui, en histoire et géographie, était au programme. Soudain, notre maîtresse se tut ; elle regardait la carte comme si elle venait de découvrir quelque chose d'étonnant. Elle se tourna lentement vers nous, vers moi. Elle me fixa longuement avant d'esquisser un léger sourire. J'étais inquiet, tout penaud. Je me redressais, mal à l'aise, essayant de soutenir son regard. Les autres élèves, intrigués, se tournèrent aussi vers moi. Je ne savais plus où mettre les mains, où poser les yeux. Enfin, elle me dit :

— Tu es issu de la plus honorable et de la plus ancienne tribu de la région !

Je ne répondis pas : je n'avais pas tout compris et ma timidité me paralysait. Elle ajouta :

— Et la plus noble ! Vous êtes sur la carte, là, à côté de Marnia ; sur ce reg, au bord de la rivière, on lit : « Ouled Charef ». L'oued Charef. Quelle surprise !

Une émotion particulière m'envahit, que j'essayais de contenir. On utilisait le mot « tribu » pour désigner ma famille... Pourtant, pour moi, « tribu » évoquait quelque chose de fourbe, renvoyait aux Apaches cruels qu'on voyait dans les films de cow-boys et dont mes camarades se régalaient à l'époque... Cette association me gênait mais n'ôtait rien à ma fierté intérieure ; un orgueil jusque-là insoupçonné naissait en moi.

Je devins copain avec Abdelrahmane. Il avait

le même âge que moi. Il était long et sec, il avait la peau blanche. Il aimait rire et je le faisais rire. Pendant les récréations, nous inventions des histoires drôles capables de nous consoler. Abdelrahmane était encore plus rejeté que moi par l'élite de la classe : son père, moudjahid, avait été abattu par l'armée française et la nouvelle de sa mort s'était répandue jusqu'à l'école. Il était définitivement devenu un moins que rien, alors qu'à mon sujet le doute subsistait encore...

En traversant la place principale, je détournai la tête : je ne voulais pas voir les badauds tabasser notre clochard local, Tarzan, qui avait bu en période de jeûne du ramadan. Je l'entendais crier : « Je n'ai rien bu », implorant Allah, titubant sous l'effet de l'alcool. Soudain, le silence se fit ; un coup brutal venait sans doute de l'assommer. La violence me traumatise et provoque chez moi une angoisse tenace, voilà pourquoi j'ai pris l'habitude de l'éviter. Ce que les gens reprochaient à Tarzan, et qui lui valait son surnom, c'était d'abord sa longue tignasse grasse qui retombait sur ses épaules. Ensuite, et surtout, ils se sentaient insultés et agressés par son accoutrement débraillé. Un matin, à l'aube, mon oncle avait quitté son reg pour aller en ville : il était anxieux car il devait obtenir un visa de sortie du territoire de la part des autorités locales. Au premier carrefour, il était tombé sur Tarzan qui cuvait son vin sur les marches d'une boutique. Choqué, mon oncle s'était arrêté net. En bon croyant superstitieux qu'il était, il avait décidé de rentrer chez lui sur-le-champ : Tarzan était allongé sur le dos, les jambes écartées ; la braguette fendue de son pantalon laissait pendre ses testicules sales. Une telle vision aurait découragé n'importe qui ! Voilà comment mon oncle avait résumé la situation : « Si, à l'aube d'une sainte journée, pour te donner une idée de ce qui t'attend, le premier signe que t'envoie Dieu est une paire de couilles, c'est que, dans Son omnipotence, Il te prévient que ce jour-là tu en verras d'autres, et Il t'invite à renoncer à toute entreprise délicate — celle vitale, par exemple, d'une demande de visa ! — en attendant un jour meilleur... »

Mon oncle aurait bien étranglé Tarzan, mais le Livre le défend.

Il y avait un autre clochard, Lahcen, bien plus discret que Tarzan. Silencieux, ascétique, le torse nu et osseux dissimulé sous un bleu de travail au col, aux épaules et aux manches graisseux, il errait à la recherche de journaux qu'il stockait comme des provisions. Il en avait plein les poches et sous les bras. Des livres cornés dépassaient de sa gibecière au cuir usé, récupérée on ne savait où, accrochée à son cou avec une ficelle et qui pendait lourdement dans son dos. On disait qu'il était devenu fou d'avoir trop lu, qu'il s'était laissé submerger par l'étendue de ses connaissances ; aveuglé par la lumière, à la recherche de l'Absolu, il s'était perdu au-delà des frontières de la méditation... Voilà ce que disaient de lui les anciens, avec des hochements de tête circonspects.

En rentrant de l'école, je trouvais toujours ma mère seule. Heureusement que mon petit frère l'occupait, car à part la lessive et le ménage, elle n'avait rien à faire. Les voisins l'ignoraient, et elle n'allait pas vers eux. Elle saupoudrait un peu de sucre sur une tranche de pain qu'elle me tendait. C'était mon goûter : le même menu qu'à midi avec une tranche en moins, et la même chose que ce qu'il y aurait au dîner, avec une soupe en plus.

Un soir tard, Naïla, la fille du voisin, un fonctionnaire arabe qui œuvrait pour les autorités françaises, est venue cogner à la porte de la cour. Ma mère m'a fait signe d'aller voir. J'ai ouvert la porte, c'était Naïla. Elle tenait un plat de tagine tiède à bout de bras. Elle me l'a tendu. Elle avait treize ans et des yeux aussi noirs qu'une nuit sans lune. Au mariage de son frère, je l'avais vue danser mieux que les grandes. Sa longue chevelure épaisse et brillante était retenue sur le front par un mince foulard, comme une Indienne, et retombait sur ses épaules nues et rondes. Embrasé par la musique, son corps agile se déhanchait en mouvements sensuels... Elle avait mâché du souak, de l'écorce de noyer, ses belles gencives étaient colorées d'un brun qui, par contraste, rendait ses dents encore plus éclatantes. C'était la plus jolie de toutes les filles et les autres le reconnaissaient volontiers. C'était aussi la seule à laquelle j'aurais voulu ressembler si j'avais été une fille. J'étais en effet à l'âge où les garçons se plaisent parfois à s'imaginer du sexe opposé.

J'ai remercié Naïla avant de lui prendre le plat des mains. J'étais en pleine confusion, car je n'étais pas bien fier de recueillir cette aumône. En plus, un matin, assis à l'arrière d'une jeep française, son père nous avait surpris mon frère et moi, un gobelet à la main, attendant notre tour pour la distribution de lait à la porte de la Croix-Rouge où ma mère nous avait envoyés. J'ai traversé discrètement la cour, le tagine tiède dans les mains ; je sentais fixés sur moi les regards des colocataires qui m'épiaient par leurs portes entrebâillées. Ma mère, mi-honteuse — on nous faisait la charité —, mi-gourmande, m'attendait calée sur son coussin devant la table basse, les jambes croisées. Mes frères se sont approchés, les yeux rivés sur le tagine. Ma mère a tranché le pain ; on l'a trempé dans les restes de la famille du caïd. Il n'y avait plus de viande, quelques légumes dépassaient du bouillon. Les haricots verts, c'était un régal pour moi. Ma mère les a triés et alignés devant moi. J'ai laissé les pommes de terre à mes frères.

Mon grand frère ne veut plus aller à l'école : c'est la rumeur qui est parvenue aux oreilles de ma mère. Il erre en ville aux horaires des cours, et il rentre à midi pour la tartine de sucre. Il s'est fait sermonner, il a répondu que son maître était violent et battait ses élèves facilement. Il aurait même reçu une chaise sur le dos. Ce n'est qu'un gosse fragile de dix ans... Ma mère me demande de suivre mon frère. Elle craint qu'il ne se mette à fréquenter les enfants qui volent aux étalages. Je n'aime pas ça, et lui non plus. Il se retourne vers moi et me menace du poing. Même de loin, il me fait peur, mais je continue à l'épier parce que maman le veut et que cela finit par m'amuser. Systématiquement, il va s'asseoir à l'ombre sur les marches de l'échoppe du coiffeur, en face du cinéma. Les mains sur les genoux, il admire les photographies des acteurs, les affiches du nouveau film. Puis il oublie ma présence au coin de la rue, il a l'air de rêver. Et moi je suis sûr qu'il pense à notre père, qui est loin, trop loin...

Plutôt que de retourner à l'école, j'ai préféré continuer à suivre mon frère. Après la halte en face du cinéma, il a marché vers la sortie de la ville. Arrivé près du pont, il a ramassé des cailloux et m'a menacé. Je n'ai pas eu peur, j'étais loin. Il m'a lancé des pierres, sans conviction, et il est reparti. Il a dévalé le talus sur les fesses et a rejoint des camarades qui jouaient aux funambules sur les poutrelles métalliques au-dessous du pont. Il a ri, le nez en l'air, en les regardant, puis il s'est hissé jusqu'à eux. Je suis allé m'asseoir au bord de la rivière. Des femmes battaient du linge sur de larges pierres. Des enfants se baignaient à l'endroit le plus profond. Mon frère et ses amis, à une hauteur vertigineuse, chahutaient l'un de leurs camarades qui craignait le vide et n'osait pas, comme eux, s'avancer en équilibre jusqu'au bout du pont. Puis ils sont descendus par le talus d'en face et se sont déshabillés. L'un après l'autre, ils plongeaient dans l'eau. Mon frère m'ignorait, j'étais bien là, tout tranquille.

Épuisée par l'effort, une des blanchisseuses accroupies vacillait. Petit à petit, sa robe se retroussait et découvrait ses grosses cuisses écartées. Au-dessus de la rive, le long du chemin qui mène au pont, les hommes s'arrêtaient et se montraient la malheureuse avec des sourires moqueurs. Les autres blanchisseuses, excédées par l'attroupement des voyeurs, ont laissé choir leur linge et sont allées rabaisser la robe de la pauvre fille jusqu'aux mollets. Elle était boulotte et trapue, bien blanche, les joues rougies par la besogne, et elle n'avait pas l'air de comprendre pourquoi on se pressait de la rhabiller. Elle se laissait faire en souriant bêtement, comme une innocente.

— Viens te baigner !

C'était la voix de mon frère. Il ne m'invitait pas avec un ton affectueux. Il m'ordonnait plutôt, en colère, de le rejoindre dans l'eau. J'ai secoué la tête. Il a répété son ordre plus vivement encore. Je me suis détourné. Il savait que désormais je craignais l'eau, qui avait englouti notre sœur.

— Tu vas rôtir !

Je m'en fichais, la canicule, j'étais né dedans. Je n'ai pas eu le temps de me sauver que mon frère était déjà hors de la rivière et se jetait sur moi. Ses camarades l'ont aidé à me jeter à la flotte. Ils hurlaient de rire quand, soudain, même la tête hors de l'eau, je n'ai plus rien entendu. J'ai été saisi par une angoisse extrême. Après un coup de feu par exemple, certains chiens deviennent comme fous. Alors ils s'enfuient dans tous les sens, la gueule baveuse, la langue pendante, l'œil hagard. Ils courent jusqu'à l'épuisement, avant de recouvrer leur équilibre. Moi, avec l'expérience, j'ai mis au point une combine pour lutter contre cet état. Elle m'a servi toute la vie : je m'immobilise, je cache mes mains tremblantes sous mes bras, je ferme les yeux et je répète dans ma tête :

— *Abba ! Abba !...*

Lorsque le fil à plomb qui régule en moi l'équilibre ne s'agite plus au vent mauvais de la tempête et revient peu à peu à la normale, lorsque mon esprit redevient calme, j'ouvre les yeux, je reprends le contrôle. La première fois que j'ai été submergé par cette sensation terrifiante, ce fut devant cette vilaine sorcière Hlima el oud. C'était une énergumène laiteuse aux larges épaules. Elle avait des mamelles énormes au point que, même en se pliant en deux, elle ne voyait pas ses pieds. Un jour, elle était venue menacer ma mère. Elle était d'une famille aisée et habitait avec ses enfants, à deux rues de chez nous, une vaste maison d'un étage, avec une terrasse crénelée qui surplombait les alentours. Son mari, tailleur, tenait boutique avec vitrines aménagées dans l'artère centrale du quartier français, loin des minuscules échoppes des indigènes. Son fils de onze ans avait chipé le contenu de la caisse et, avec mon frère, il avait acheté un « roulement » : une planche en bois munie d'un guidon actionné par des rênes, le tout monté sur des roulements à billes, d'où le nom. Ces engins étaient à la mode et dans tous les quartiers des cohortes d'enfants dévalaient les rues en pente avec. Mon frère, qui, il faut bien le dire, avait une grande influence sur ses camarades, aurait été complice du larcin. Et voilà Hlima qui débarque chez nous pour réclamer une partie de la somme volée, avançant qu'il y a eu partage entre son fils et mon frère. Elle était entrée dans notre cour en vociférant insultes et menaces. Ma mère, si frêle et si peureuse, s'était recroquevillée dans un coin de notre chambre obscure. Hlima voulait la battre. Nous étions seuls face au monstre. Les voisins, amusés et cyniques, n'intervenaient pas. Hlima rudoyait la porte de la chambre et hurlait. Ma mère, les mains devant les yeux, tremblait de peur. Je retenais mes larmes en la regardant. À ce moment, je compris mieux que jamais à quel point elle souffrait d'une terrible solitude. Hlima savait que nous vivions sans notre père et elle ne se gênait pas pour nous accabler, ajoutant que ses grands fils l'aideraient à nous infliger une punition mémorable si on ne rendait pas l'argent rapidement. Derrière la porte, ma mère bafouillait des oui, des pardon, pardon !... La furieuse devenait si violente et notre impuissance si humiliante qu'une profonde affliction me submergea. Je dissimulais cette angoisse en me cachant derrière ma mère. Hlima partit en promettant le pire à mon frère. Enfin, ma mère put se laisser aller et éclata en sanglots. Moi, j'envisageais ce pire avec terreur et c'est ainsi que, ne voyant pas d'issue possible, je fus assailli par une pénible sensation d'étouffement. Mon esprit s'éparpilla en mille sombres visions. C'était ma première expérience noire de la vie depuis la mort de ma sœur.

Afin de calmer l'ardeur de la voisine, ma mère m'a envoyé réclamer un peu de sous à ma grand-mère. Grand-mère vivait de la pension de grand-père mort peu après son retour de la Grande Guerre pour la France. Elle possédait aussi une chèvre qui lui fournissait son lait du matin. C'est avec cette maigre pension qu'elle achetait les cigarettes et le tabac à chiquer de ses deux fils, mes oncles. Je suis arrivé chez elle, dans le reg, en dissimulant mes larmes. En voyant mon air triste, elle m'a questionné.

Obéissant aux recommandations de maman, je n'ai rien dit. Elle a mis de l'argent dans un mouchoir, elle l'a noué et elle l'a enfoncé dans ma poche.

Mais revenons à la rivière, après que mon frère et ses camarades m'avaient balancé dans l'eau. Mon frère a été pris de remords et ému de m'entendre bafouiller : « *Abba ! Abba !...* » Alors que j'étais encore transi d'effroi, il est allé cueillir deux gros chardons fleuris. Il les a épluchés, a ôté les épines et m'a offert les cœurs. J'ai croqué les fruits sucrés et, à peu près remis de mes émotions, je suis allé en ramasser d'autres.

Un des camarades de mon frère avait un sloughi répondant au nom de Rex. Il pistait des lièvres, nous le suivions. Les grands grimpaient aux arbres et pillaient les nids d'oiseaux. Mon frère m'apprit comment gober un œuf : l'avaler, l'écraser avec ma langue contre le palais, recracher la coquille et, ensuite, savourer délicatement le suc épais et salé encore frais — le nid était à l'ombre. J'entrepris moi-même quelques cueillettes sur des arbres à l'ascension facile sous l'œil inquiet de mon frère. Il craignait que j'enfonce mes mains voleuses dans un nid de serpent caché dans un tronc. Je ne pillais que les nids sur les branches. C'est dans l'orangeraie du colon Perret, qui s'étendait à perte de vue, que nous débusquions le plus de nids accessibles, car les arbres étaient taillés bas. Bien qu'interdit d'accès et gardé par des bergers de moutons à sa solde, nous n'avions pas peur d'aller chercher dans ce domaine de l'ombre et des fruits. Pour cultiver leurs terres, les colons avaient construit une seguia en béton pourvue d'un système astucieux qui conduisait l'eau d'un domaine à un autre. Les paysans arabes n'osaient pas y toucher. Par cette voie d'eau, les colons recevaient aussi d'énormes boîtes de conserve de France, contenant du cassoulet, de la choucroute, des lentilles au porc. Elles étaient mises à l'eau à la gare de Marnia et elles transitaient de domaine en domaine. Nous les interceptions dans une courbe cachée de la route et, avec le dégoût légitime que nous éprouvions pour ce genre de nourriture, nous les éventrions à coups de pierre. Nous continuions notre errance, de sous-bois accueillants et pleins de fraîcheur en plateaux rocailleux désertiques et brûlants... Nous croquions des racines terreuses, nous allumions des feux dans les terriers que Rex avait repérés et attendions que le lièvre sorte suffocant de sa cachette pour l'assommer à coups de gourdin. Le soleil dardait si délicieusement sur mon corps que j'avais l'impression de ne faire qu'un avec lui : je devenais un de ses rayons. Ainsi filait le temps.

Je déteste le propriétaire de la maison à qui nous louons la chambre. Il trouve que ma mère use trop d'eau. C'est vrai qu'elle n'a jamais lésiné sur la propreté, corporelle ou domestique. Maman avait laissé un tas de linge sale à côté du bassin de la cour. Elle l'a mis dans la *fota*, ce tissu qu'elle utilise pour porter mon petit frère dans son dos, et elle s'en est allée faire sa lessive au bord de la rivière. Elle nous a dit, à mon frère et à moi :

— Inch'Allah que votre père nous construise un gourbi loin de ces gens-là !

C'est pour ça que mon père est allé travailler en France, pour qu'on ait une maison à nous. Parfois, ma mère parle toute seule ; je l'entends murmurer et je distingue ses lèvres qui remuent derrière le voile quand elle marche. On dirait que c'est en ressassant ses soucis qu'elle espère trouver la paix. D'ailleurs, pour s'apitoyer tranquillement sur son sort, souvent elle nous fiche dehors, mon frère et moi.

Mon père nous a envoyé un mandat. Le facteur a compté l'argent et l'a donné à ma mère. Aussitôt, elle est allée s'enfermer dans la chambre pour recompter. Moi, je ris de la voir si excitée. Elle a étalé les billets devant elle comme si elle allait faire une réussite avec des cartes. Elle sait déjà à quoi employer précisément chaque billet : loyer, pommade jaune pour les paupières enflammées de mon petit frère, semoule, farine pour le pain, cuisson chez le boulanger...

Dans la foulée, nous sommes tous partis au hammam ! Dans la salle qui fait office de salon et de vestiaire, on apprête une jeune mariée. Des femmes chantent et dansent autour d'elle. L'imposante matrone des lieux a refusé l'entrée à mon frère aîné, au grand dam de ma mère, sous prétexte qu'il est maintenant en âge d'avoir une érection devant des femmes nues, ce qui provoquerait un certain désordre. Elle court partout pour faire taire les youyous stridents.

Assis nu sur la pierre chaude, dégoulinant de sueur, j'ai la douce impression de fondre complètement, et je me souviens des bains dans ce hammam avec mon père. L'atmosphère du bain d'hommes est propice à la méditation et il se déroule selon un rituel immuable. Il faut arriver tôt pour profiter du silence qui règne dans les lieux.

Car bientôt, l'espace sera envahi par le bruit des seaux métalliques remplis d'eau cognant sur le sol, amplifié par la réverbération et l'écho, par la musique des gobelets cabossés contre le fond des bassins et par les premiers chants des hommes. Je suis mon père. Pieds nus, les orteils recroquevillés sur le sol glissant — nous n'avons pas de sandales de bain —, nous nous dirigeons avec précaution vers la salle du milieu. Nous visiterons celle du fond, la plus chaude, avant le savonnage. Mon père a une place préférée, près du conduit d'eau chaude, sur le zellige à gros carreaux qui se rince mieux et conserve plus longtemps sa chaleur que le carrelage à petits carreaux qui retient l'eau dans ses joints nombreux et devient rapidement tiède. Papa remplit deux grands seaux d'eau bouillante et les vide énergiquement, l'un après l'autre, sur « sa » dalle. La place est propre et chaude. Il s'allonge sur le dos, les bras le long du corps. Il ferme les yeux et murmure :

— Au nom de Dieu.

Les hommes sont adossés au zellige, les jambes croisées, les mains sur les genoux. D'autres sont assis au bord des dalles marbrées, les jambes pendantes. Ils ont la tête baissée, les yeux clos. Pensent-ils à la guerre qui fait rage ? ou à Dieu, comme cet homme qui égrène les perles bleues et humides de son chapelet avec son pouce ? J'observe mon père. Il respire à petites goulées. Ses paupières mi-closes s'alourdissent peu à peu. Fait-il le vide en lui ou rêve-t-il ? Il somnole, comme tous les hommes autour de nous. Lentement, la sérénité s'installe en eux ; le relâchement à peine perceptible de leurs épaules en témoigne. De grosses gouttes chaudes perlent du plafond. Elles s'écrasent dans les bassins avec un son mat et j'imagine les ronds qu'elles dessinent. Elles tombent sur mes épaules, sur mon nez, sur mes paupières. Avant de tomber, certaines gouttes dessinent une ligne sur la pente du plafond, rencontrent d'autres gouttes sur leur chemin, grossissent et enfin, trop lourdes, tombent : floc ! Des picotements parcourent mon corps. C'est le signe que la première couche de peau se désagrège dans la chaude humidité ambiante. Tous les hommes autour de moi ressentent la même sensation. De la main, ils essuient un genou, une épaule qui les gratte. Mon père sort de sa torpeur. Durant ce long silence, il a dû s'endormir. Il a l'air sonné. Il attrape notre gobelet en aluminium et me le tend. J'ai compris : il a soif. Je vais à la source. Un vieillard dont le pagne tombe boit à même le robinet. Il a des gestes lents. Il a peur de glisser, sa main s'agrippe au tuyau d'eau froide. En rebondissant au fond du bac, les gouttes éclaboussent mon corps brûlant, je frémis. Le vieillard s'en va, courbé. Il s'aide du mur. Je remplis le gobelet et bois d'un trait. Comme pour compenser toute la sueur qui a dégouliné de mon corps. Je reviens vers mon père, le gobelet plein. Il est assis et se frotte le visage. Il boit et se lève. Je le suis vers la salle chaude. La vapeur brûlante nous accueille et pénètre mes poumons par le nez et la bouche. Dans cette ambiance étouffante, j'apprends à respirer autrement. J'avale l'air chaud et lourd à petites goulées, par le nez. Progressivement, mon corps s'habitue à la haute température. Mon père me guide dans les moindres gestes. J'ai très chaud ; je m'assieds dans le creux de ses jambes. Il me frotte avec le gant de crin roux. Le contact sur ma peau est désagréable, le poil pique. Je résiste parce que je suis bien, je suis heureux, la main chaude de papa posée sur ma tête. Il ôte le gant et fait glisser la paume de sa main sur mon dos ; il essuie la première couche de peau qui se décolle de mon corps. C'est un mélange gris de sueur et de poussière. Il étale cette crasse en fils longs et fins sur la dalle de marbre. Mon père me frotte délicatement, à l'inverse de maman qui, avec la pierre ponce, récure ma peau jusqu'à la brûlure. Une voix s'élève derrière l'épais voile de vapeur et entonne du chaabi. L'écho, d'une langueur mélancolique, se répercute de salle en salle. Les hommes relèvent la tête, l'oreille attentive au chanteur inconnu. Ceux qui le connaissent reprennent en chœur le refrain de la chanson. Les mains battent la mesure sur les seaux vides. Mon père rit fort, sa joie résonne. Je ris aussi sans comprendre les couplets douteux qui amusent les grands. Le corps de mon père est luisant et musclé. Je sens son odeur âcre. Autour de nous, tout est brûlant : le sol, les murs, le plafond, l'eau qui déborde des bassins. Mon père me savonne et me rince à pleins seaux. Il rit encore plus fort lorsqu'il me surprend d'une grande volée d'eau froide cette fois. C'est la fin du bain. Je cours boire au robinet. Mon père se lève et chante avec les autres. Je suis fier de lui car il est tout en muscles même si c'est à cause des travaux des champs qu'il pratique depuis l'enfance, du maniement de la charrue pendant les labours et des sacs de grains lourds qu'il soulève. Il me coiffe, il m'embrasse, heureux d'avoir un fils et d'être avec lui. C'est un rieur, mon père, un parleur, un musicien. Dans les fêtes de circoncision et de mariage, il accompagne au galal, à la darbouka, les joueurs de flûtes et de rhaïta. Dans son drôle de pagne en nylon avec des fleurs sur les hanches et ses manières de femme précieuse, le masseur du hammam encourage mon père à montrer son talent. Papa ne se fait pas prier. Sur la dalle centrale du bain, d'où tout le monde peut le voir, il cherche un léger creux dans le marbre avec une flaque. Il s'assied et se met à battre la surface liquide, en modifiant la position de ses mains. Ses épaules se balancent, son corps remue, il frémit comme si le son de son tam-tam improvisé le chatouillait. Il ferme les yeux et sourit bêtement, tel un pianiste emporté par une sonate. On l'applaudit, il est heureux. Il en rajoute, il joue d'une seule main. Tout cela doit lui manquer en France, dans son bidonville.

La maîtresse d'école est persuadée que mon père est un fellagha. Dès qu'il y a un attentat, c'est moi qu'elle fixe en disant :

— Bientôt, ils poseront des bombes dans nos écoles !

Les élèves se tournent vers moi, certains me regardent avec mépris. Peu importe : je resterai à l'écart, avec Abdelrahmane. Mme Broudère, c'est le nom de ma maîtresse, sait que dans notre reg il y a beaucoup d'hommes qui ont rejoint le maquis. Lorsqu'ils sont tués lors d'une escarmouche avec les soldats français, la rumeur se charge de propager leurs noms, et elle fait facilement le lien avec ma famille. Ce n'est pas difficile pour les Français d'identifier le felouze qu'ils viennent d'abattre : les harkis les renseignent. Lorsqu'ils ont tué ma tante et le grand frère de maman, vite, le lendemain en classe, tout le monde s'est tourné vers moi. Si je n'avais pas été aussi timide, si j'avais su faire preuve d'éloquence, voilà ce que je leur aurais dit à ces petits blancs-becs, à leurs copains indigènes lèche-culs, et à leur maîtresse qui n'est même pas belle : quand ils ont été arrêtés, le frère de ma mère et ma gentille tante ne portaient pas d'armes. On aurait pu les épargner ! Mais non : mon oncle a été fusillé dans le djebel du figuier amer sous prétexte qu'il revenait du maquis, et ma tante égorgée parce qu'elle approvisionnait les moudjahidin dans leurs refuges. Sans parler des autres victimes du reg... Voilà. Très jeune, j'ai appris à tout garder en moi, peines et colères... Dommage ! Pourtant, mon oncle et ma tante — pour ne parler que d'eux et ne pas trahir les autres — étaient bien des terroristes, comme ils disaient ! Et j'en étais fier... Mais il valait mieux qu'on me remarque à cause du lieu d'où je venais, et dont je portais le nom, de mon allure de fils de paysan fourbe, insaisissable et arriéré...

Me reviennent en mémoire des mots que je tente aussitôt d'oublier pour ne pas avoir à les rapporter tant ils ont provoqué en moi un sentiment de vexation profonde. Pourtant, il m'est impossible de les chasser de mon esprit. Le vent efface les traces de sabots d'un cheval. La marque laissée dans ma tête, elle, ne disparaîtra qu'une fois les mots couchés sur une feuille de papier. Il faut que j'écrive ces mots noir sur blanc, et que je puisse les relire inlassablement, pour qu'ils deviennent anodins et que je n'en aie plus peur. C'est le seul moyen que j'ai trouvé... Ces mots qui galopent encore dans ma tête et que la honte m'empêche de noter, c'est au hammam que je les avais entendus, quand mon père battait le marbre de ses mains douloureuses avec l'espoir de réjouir les baigneurs médusés et désabusés. L'un d'eux avait dit de mon père :

— Il est d'où, celui-là ?

— Beni Ouassine. Cela se voit ! Regarde ses bras... Sans eux, il n'est rien !

Beaucoup avaient ri. Mon père n'avait pas entendu. Cette rumeur sur notre dachra me blessa profondément. Je ne voulais pas qu'elle se répande, c'est pourquoi je détestais croiser en ville le mari de la sœur de maman. Quand ça m'arrivait, je souhaitais disparaître illico. Lui, on le reconnaissait tout de suite. Avec sa dégaine d'un autre temps, on remarquait le cher oncle entre mille burnous. Moqueurs, les badauds s'arrêtaient sur son passage et le désignaient du doigt. Je ne connais pas d'allure plus guerrière et plus virile que celle de chez nous !

Pour rire, on le suivait : on admirait la fine dague en arabesque qu'il portait à la ceinture, dans un étui en cuir rehaussé de clous jaunes ciselés ; on remarquait ses sandales aux lanières défaites, que la poussière du reg avait fini par teindre en ocre. Il avait un gourdin en guise de canne. Sur la tête, enroulée en turban, enfoncée jusqu'aux sourcils, il portait une *raza* (le chèche) à la blancheur douteuse ; l'autre extrémité dissimulait sa bouche et remontait jusqu'au nez. Pour couronner le tout, il se promenait accompagné de son bouc favori, le roi de son troupeau, un animal peut-être centenaire, qui le suivait sagement, fier et portant beau : un vrai minotaure ! Ses cornes arrondies et puissantes étaient décorées de fines stries qui indiquaient sa race. Elles luisaient, astiquées avec un soin orgueilleux par mon oncle. Si je l'apercevais de loin, je bifurquais rapidement dans une ruelle adjacente.

Je comprends que ma maîtresse s'intéresse à moi et que mes camarades se retournent...

Cela fait maintenant un an et demi que mon père est en France. Plus le temps passe, plus nous ressentons son absence comme un manque. Mes frères et moi nous n'avons plus qu'une seule épaule sur laquelle nous épancher, celle de maman. Comme papa n'est plus là, nous sommes déséquilibrés. Maman, elle, attend les lettres de son mari qui commencent invariablement par : « Je vous écris de mes nouvelles qui, j'espère, vous trouveront en bonne et parfaite santé comme moi. » Mon père ne s'adresse jamais directement à maman. Il écrit en arabe. Ni maman, ni moi, ni mes frères, ne savons lire l'arabe. C'est un voisin qui nous traduit le courrier ; c'est pourquoi mon père, avec une grande pudeur, se retient de dire à sa femme certaines choses, qui risqueraient d'être commentées avec ironie. C'est à nous que mon père adresse la lettre : « Mes chers enfants... » Il répète qu'on lui manque beaucoup ; c'est un message crypté adressé à maman. L'interprète parti, elle plie délicatement la lettre, l'enfouit dans son corsage et s'assied silencieuse. Je l'ai vue, meurtrie, dictant à un tiers les réponses destinées à mon père ; elle ne parle que de choses matérielles et s'interdit pudiquement d'exprimer ses sentiments ; seule, la conclusion trahit son état : « Tu manques à tes enfants... »

Enfin une bonne nouvelle : mon père a acheté une vieille maison en ruines que des maçons sont en train de rénover. Sur la route de Tlemcen. Nous avons accompagné maman qui est allée payer les maçons avec l'argent qu'elle a reçu de papa. C'est notre cousin, l'épicier, qui est chargé de surveiller les travaux. Tout me paraît beau dans cette maison qui sera à nous.

Dans la cour, ma mère voit déjà où elle disposera nos rares affaires : le kanoun, le placard à vaisselle, la table basse qui sert de plan de travail. Le visage rayonnant, elle n'a d'yeux que pour l'évier surmonté d'un robinet jaune. Elle pose la main sur le robinet. Un maçon dit :

— Il n'y a pas encore d'eau !

Ma mère a l'air déçu. Les deux chambres sont grandes mais aveugles ; percer le mur et ouvrir des fenêtres coûte cher. Le quartier, au sortir de la ville, me plaît beaucoup, les rues sont longues et larges, baignées de soleil ; rien à voir avec les ruelles sombres, étroites, humides et fangeuses du coin où nous habitons et que l'on surnomme le « Matemore », un mot espagnol. C'est là que les premiers colons hispaniques attendaient les Maures pour leur tirer dessus. De l'autre côté de la rue, longeant le haut mur de la maison d'un gros harki, près de la seguia des colons, on nous a montré un petit lopin envahi de broussailles. Il nous appartient. Ma mère songe à le défricher pour y planter quelques légumes.

Nous sommes allés au reg, dans notre dachra, parce que la maman de papa est morte dans la nuit, en accouchant. Sur la route goudronnée, en rase campagne, là où règne un silence effrayant qui me saisit à chaque fois, nous avons croisé un convoi de militaires français. Heureusement, nous les avons entendus arriver de loin, ce qui a laissé le temps à ma mère de se jeter dans le fossé où elle a pu se barbouiller le visage de terre, au cas où nous serions interpellés. Le convoi a ralenti en passant près de nous, sans s'arrêter. Enroulée jusqu'aux yeux dans son haïk blanc, ma mère avait si peur qu'elle bavait en récitant des prières fébriles et que son voile était mouillé. Parfois, les soldats français venus surprendre quelques felouzes dans un hameau volent une de nos jolies filles. Ils se sont servis à deux reprises chez nous. On n'a jamais su s'ils tuaient les filles après les avoir violées ou s'ils les épargnaient un certain temps pour en jouir plus longtemps. Une adolescente avait réapparu quelques jours après son enlèvement. L'avaient-ils relâchée ? S'était-elle évadée miraculeusement ? Elle n'avait jamais pu répondre. Elle était devenue folle et muette. Un jour qu'elle confectionnait un fagot, loin du hameau, elle aperçut, au loin sur la piste, la poussière qui annonçait l'arrivée de convois militaires. Elle abandonna son fagot, ramassa deux grosses poignées de cailloux et s'élança vers les véhicules. Sa mère était affolée ; elle hurlait des ordres à sa fille, mais elle ne put la retenir : la peur lui donnait des ailes. Dans un élan vengeur et désespéré, elle caillassa la jeep de tête. Deux militaires l'attrapèrent et la jetèrent dans un camion. On ne la revit jamais.

Après cette grosse frayeur, ma mère s'est mise à sangloter. Cette fois, c'était à cause de la mort de grand-mère, car on approchait de la dachra. Depuis la piste caillouteuse et brûlante, on entendait déjà des pleurs et des plaintes. Les pleureuses en font des tonnes et ça me met toujours mal à l'aise. L'une d'elles, à peine le seuil de la cour franchi, s'est jetée violemment sur le sol en pierre inégal. Ma mère était plus calme, elle. Seules ses larmes traduisaient sa douleur.

— Pourtant elle m'en a fait baver... disait-elle de sa belle-mère à celles qui venaient la réconforter.

Tout de blanc vêtu, le chèche sur la tête, grand-père était assis sous le figuier, au bord de la rivière. Personne n'osait l'approcher. Je me demande s'il a jamais posé la main ou les yeux sur moi. En fouillant dans ma mémoire, il me semble me souvenir de certains détails... On avait toujours l'impression qu'il n'était pas avec nous, perdu dans ses pensées, le regard au loin, fixé sur l'horizon. Silencieux et mystérieux, il égrenait doucement les perles blanches de son chapelet entre ses doigts fins. Parfois il se penchait vers nous, ses petits-enfants, lorsqu'il revenait à dos de mule du marché de la ville ; nous courions à sa rencontre, heureux et fiers d'appartenir à la tribu dont il était le père et le chef ; il n'oubliait jamais de nous acheter des bonbons qu'il nous distribuait avec un sourire doux et protecteur, sans un mot. À tour de rôle, nous baisions sa main généreuse et nous retournions jouer.

Il avait encore une épouse. Elle était plus discrète et plus forte que celle, menue et sèche, qui avait terrorisé et harcelé ma mère. Il avait des enfants de chacune de ses épouses et il avait fait construire deux maisons. Les enfants s'entendaient comme s'ils étaient tous de la même famille ; je ne différencie pas les vrais frères et sœurs de mon père des autres.

Ce n'est pas la mort de grand-mère qui me rend triste, c'est la douleur de ceux qui pleurent qui m'afflige. Maintenant que je grandis, les pleureuses attitrées ne m'émeuvent plus ; elles font leur travail, elles fournissent au parterre l'émotion adéquate, comme quand, au cinéma, on souligne une scène mélo avec des violons. Agacée de me voir fondre en sanglots dès qu'une de ces pleurardes déclamait une oraison funèbre particulièrement émouvante, ma mère, qui les méprisait, m'expliqua leur rôle :

— Elles pleurent sur leur propre sort, et Dieu, heureusement, nous fait grâce d'en savoir davantage... !

En général, les enfants préfèrent s'éloigner de ces cris morbides et de ces visages ravagés par la douleur. Moi, au contraire, je restais : j'écoutais et j'observais les stigmates que la mort dessinait chez les adultes... Dans ces moments-là, je prenais conscience avec effroi de ce qu'était la solitude et du poids qu'elle ferait peser sur toute mon existence.

Chaque fois que je reviens dans ma montagne, quand mon esprit est saturé de sons et d'images, et que j'en ai assez des cabrioles enfantines, je vais me blottir dans l'obscurité et la fraîcheur du gourbi où je suis né. Je m'adosse au mur incliné, mal crépi, et je m'assieds, jambes croisées, sur le sol cimenté en direction du trou d'évacuation d'eau. Si, près du cimetière, il y avait eu de quoi s'abriter du soleil brûlant, je serais sûrement allé rendre visite à ma sœur Amaria. Ma mère n'aime pas me voir traîner dans le cimetière. Elle a peur que je sois un enfant triste. Quand elle m'interroge, je lui réponds toujours la même chose : je me promenais, perdu dans mes pensées, et je ne me suis pas rendu compte d'où je me trouvais... Heureusement, elle ne m'a jamais surpris au-dessus du puits qui a englouti ma sœur. Quand j'y vais, je me penche pour observer la surface calme de l'eau où se reflète ma petite tête d'enfant aux cheveux courts. L'image tremble dans le contre-jour. Plus je reste là longtemps et plus j'ai mal. J'imagine très précisément ce que furent les dernières souffrances d'Amaria. Je n'ose pas scruter les parois du puits car je suis sûr d'y découvrir la trace de ses ongles...

Je suis né dans le gourbi où je suis assis. Une nouvelle pleureuse est entrée dans la cour du hameau ; je n'ai pas reconnu ses plaintes. J'ai la flemme de me lever pour aller fermer la porte de la chambre et pour ne plus l'entendre. D'où je suis, j'ai assisté à la naissance de mon petit frère. J'étais allongé et je n'osais pas me redresser, glacé par les cris de ma mère en train d'accoucher. Beaucoup de femmes l'entouraient et, en attendant l'enfant, elles riaient et chantaient. Il me semble que l'accoucheuse était la vieille et belle Bent Taïeb. Il faudra que je demande à ma mère qui m'a mis au monde. Ce serait merveilleux de le savoir ; ce serait intéressant de connaître le nom de la première femme de la tribu qui m'a vu, touché et porté, d'imaginer sa figure, la couleur de ses yeux, celle qui fut la première à s'écrier :

— C'est un garçon !

Tout en travaillant entre les genoux de ma mère, la vieille Bent Taïeb, en colère, réclamait le calme et le silence : les copines de ma mère continuaient de chanter, de rire, de pousser des youyous, et se préparaient à la fête. Moi, j'étais là, au milieu de la nuit, j'observais, troublé, le moindre geste de maman ; je sursautais au son de ses cris vifs, tantôt brefs, tantôt longs, qui rythmaient sa douleur. Aïcha, sa meilleure amie, radieuse et émue, se pencha vers moi et, sous les youyous stridents, m'annonça :

— Tu as un petit frère !

Je n'oublierai jamais Aïcha ; je revois encore ses yeux bleus étincelants qui illuminaient le gourbi obscur. De toute ma vie, je n'ai jamais revu des yeux aussi beaux.

J'ai demandé à ma mère le nom de mon accoucheuse. C'était ma grand-mère Zahra, la maman de papa. Cette découverte provoqua en moi une vive émotion. À tel point que, cinquante ans plus tard, lorsque j'y songe, les larmes brouillent encore mes yeux. C'était Zahra, petite et sèche. Celle que ses brus craignaient comme la teigne, et que certaines, dont ma mère, avaient préféré fuir en allant s'installer en ville. C'est donc elle, cette blanche Zahra au visage creux, qui portait un foulard coloré autour de la tête, cachant les oreilles, sur lesquelles retombaient quelques cheveux gris, c'est elle, la première, qui m'avait vu, porté, embrassé. Bien avant ma mère. Comme je t'aime, Zahra ! Tu es morte trop jeune pour une grand-mère. Tu n'as pas eu le temps de devenir vieille, enfin délestée du poids des besognes quotidiennes, tu n'as pas eu le temps de voir grandir tes petits, de les écouter, de te consacrer enfin tranquillement à tes ablutions et aux cinq prières, que tu faisais toujours entre deux kanouns, occupée à entretenir la braise, agenouillée sur le sol dur, penchée, les yeux fermés pour te protéger des escarbilles et de la fumée. Toujours entre deux chèvres à traire, deux lessives à battre au bord de la rivière, deux repas à préparer, deux brus à emmerder... Tu es morte en accouchant. À quel âge ? Ça n'est écrit nulle part.

Je fais le vide, le silence en moi. J'essaie d'imaginer la douceur de toutes ces mains qui, nourrisson, m'ont porté avec amour. Je cherche les empreintes qu'elles ont laissées sur moi. Je perçois très sensiblement une sensation de douce chaleur. J'ai l'impression de vibrer au souvenir des caresses de ma mère, quand elle posait les mains sur moi, que son corps frôlait le mien. Quand, pour me préserver des fièvres, elle m'enduisait d'huile d'olive brûlante, et qu'elle l'étalait amoureusement sur ma peau de bébé jusqu'entre les orteils...

Aujourd'hui, parfois, dans le silence et la solitude, j'essaie de retrouver ces impressions et le plaisir que j'éprouvais à l'époque. Vainement ? Peut-être pas. Souvent je ressens une chose qui est presque de l'ordre du miracle... Et cela arrive quand je m'y attends le moins : quand je m'occupe de mes enfants, que je leur donne le bain, quand je pose sur eux mes mains rassurantes. Quand je les serre tendrement contre moi, quand je sens l'odeur âcre et crémeuse, mélange de sueur et de lait, qu'exhalent leurs cous, quand je masse leurs petits corps fiévreux avec de l'huile d'olive chaude jusqu'entre les orteils...

Maintenant que je sais qui a aidé ma mère à me mettre au monde, je lui ai demandé :

— Tu étais heureuse de m'avoir ?

— Je t'ai désiré fortement.

— Et papa était-il heureux ?

Ma mère m'a appris que mon père était absent de la maison quand je suis né. Pris de court, j'ai laissé passer un long silence. Je ne savais quoi penser, troublé. Je fixais ma mère. J'ai fini par lui dire :

— Où était-il ?

— En France. Il est parti trois mois avant ta naissance ; c'était son premier voyage. Tu avais un an et demi quand il est revenu au pays.

Ma mère a été formidable : elle m'a donné trente centimes pour assister à ma première séance de cinéma organisée à l'école, dans la cantine. Les volets étaient clos ; j'étais assis dans l'obscurité, jambes croisées, sur le carrelage frais au fond de la salle, au pied du projecteur. C'était un grand moment de détente où on avait convié tous les élèves qui pouvaient s'offrir le ticket d'entrée. Ma mère m'avait répété :

— C'est juste pour cette fois, tu n'y retourneras pas !

Les autres venaient à toutes les séances, un jeudi par mois ; leurs parents n'avaient pas de soucis d'argent. Moi, je me demandais à quoi servait ce grand rectangle de tissu blanc sur le mur en face de nous. Près de moi, des bobines de film étaient exposées. Des rouleaux de pellicule brillaient sous le faisceau de la lampe du projectionniste. J'étais heureux intérieurement, mais je ne pouvais pas exprimer ma joie car Abdelrahmane, mon meilleur copain, n'avait pas réussi à convaincre sa mère de lui offrir la séance. J'étais anxieux aussi. Car je ne savais pas quel effet me ferait cette première projection tellement j'étais émotif. Finalement, j'ai dépassé ma culpabilité à l'égard d'Abdelrahmane et j'en ai même conclu que j'aurais ainsi plein de choses à lui raconter.

— Silence ! a crié Tonio, le directeur de l'école.

La dernière lampe d'appoint, au-dessus du projectionniste, s'est éteinte. Un faisceau de lumière éclairait le tissu blanc.

— 3... 2... 1...

À chaque top, un bruit aigu et perçant accompagnait l'image. Musique : des violons. Décor : une forêt vierge, la nuit. J'ai entendu le projectionniste murmurer :

— C'est moi qui suis de traviole ou c'est l'écran ?

Je l'ai regardé dévisser le pied de son appareil.

L'écran ; il avait dit « écran » : le rectangle de tissu blanc fixé avec quatre pointes sur le mur.

Sur l'écran, deux bonshommes sont apparus : le premier gros et grand, suivi par un petit maigre. Les rires fusaient déjà. Je ne saisissais pas bien pourquoi, car il ne s'était encore rien passé entre ce gros et ce maigre qui puisse justifier les rires. Les jeunes spectateurs avaient l'air de bien les connaître. Le gros avait toujours l'air irrité ; le maigre subissait sans relâche les sarcasmes de son partenaire. J'aimais bien leurs chapeaux et leurs costumes étriqués. Je n'avais pas pu lire attentivement ce qui était écrit sur l'écran au début du film. J'ai tendu l'oreille vers un groupe d'élèves qui riaient et commentaient les images :

— C'est Laurel.

— Non, c'est Hardy ; Laurel, c'est le maigre !

Ils se chamaillaient.

— Chut ! a soufflé Tonio.

Ces deux personnages infortunés me faisaient rire. Ils allaient immanquablement de gaffes en maladresses et sur leur chemin récoltaient lazzis et brutalités. C'était deux nigauds sur qui tombaient des tas de tuiles. Je riais même quand je ne comprenais pas le gag : si les autres, plus futés que moi, riaient, c'est qu'il fallait rire. J'avais payé, je voulais en profiter, et rire tout mon soûl. Je quittais l'écran des yeux ; je regardais autour de moi ; tous les regards étaient rivés sur le même horizon. À tous ces visages, on demandait de rire et de vibrer à l'unisson, d'éprouver une même émotion. J'étais fasciné, transformé, et en même temps j'avais terriblement peur : et si le méchant qu'on nous montrait du doigt n'était pas réellement le méchant... Si l'intérêt que suscitait l'image faiblissait, je risquais de m'assoupir, bercé par le ronronnement du projecteur. On aurait dit une roue de bicyclette à laquelle on a fixé un petit carré de carton rigide avec une pince à linge : en frôlant les rayons, il émet un bruit de motocyclette qui excite l'imagination des petits.

Je reviens à contrecœur à ce que j'ai laissé en suspens un peu plus haut à propos des méchants qui parfois n'en sont pas... Je me souviens d'un sentiment de malaise tenace, un sentiment de révolte éprouvé dans les casernes de l'armée française : aux appelés du contingent qui, pour la plupart, sont encore des innocents à peine sortis de l'enfance, on projette un dessin animé qui met en scène, dans une propriété bourgeoise, la rivalité entre deux protagonistes stéréotypés. D'un côté, il y a un chat savant, auréolé de gloire et sentant bon le bain moussant ; en face, un animal répugnant, un rongeur au pelage noir et hirsute, la queue sale et galeuse, et suivi par une marmaille aux dents longues et crochues et aux yeux injectés de sang. L'animal ressemble à un rat, c'est un fléau. L'officier de réserve qui commente le film pointe sa baguette sur l'animal puant qui guette le chat au poil léger et souple et déclare aux appelés :

— Cet animal, c'est le fellagha. Vous n'allez pas tarder à faire sa connaissance et à le combattre. Vous verrez qu'il est exactement comme dans ce film. Au bled, on le surnomme le raton !

Finalement, Laurel et Hardy ne sont pas si bêtes : certes, ils ne font pas preuve d'un courage exemplaire ; même en avançant à reculons, ils finissent toujours par faire front. Ils y laissent quelques plumes et passent par de grosses frayeurs, mais ils s'en sortent toujours. Ils m'amusent, sans plus.

Leurs exploits ne sont pas du genre à flatter ou titiller mon imaginaire. Déjà enfant, je me rends bien compte que je ne suis pas franchement un rigolo. J'accepte difficilement cette vérité. Ce que je comprends en revanche, c'est que, devant un film, il peut m'arriver de m'échapper. Je pars vers d'autres aventures. Je viens de comprendre, troublé, que j'attends de voir sur l'écran les histoires tristes qui s'élaborent dans ma petite tête de gamin...

Je ne sais plus comment on s'est retrouvés là, ma mère et moi. Je me revois encore assis à l'entrée du gourbi, un genou au soleil, l'autre à l'ombre, à l'intérieur. J'observe attentivement ma mère qui nettoie énergiquement à l'aide d'une serpillière qui dégouline d'eau savonneuse un mur jaune souillé de larges taches de sang. Tantôt accroupie, tantôt debout. Ma mère est seule. Elle sanglote, essoufflée, devant moi. Elle pleure des mots qui traduisent son chagrin et disent notre misère. Le sang qu'elle est en train de faire disparaître, c'est celui de ma tante, sa belle-sœur. Les soldats français viennent de l'égorger pour avoir caché et nourri des fellaghas. De ce jour-là, je me souviens aussi de deux ou trois choses précises : la lumière est aveuglante et brûlante ; le ciel est totalement blanc, le soleil n'a plus aucune nuance de jaune ; la nuit est devenue blanche, elle aussi, tout n'est plus qu'une immense masse blanche. La blancheur épouse la terre, recouvre les murs du hameau. Ma tribu pleure ses fellaghas morts, dénoncés et surpris dans leur tanière. On a creusé une fosse. Il n'y a plus de ciel, plus de soleil, il n'y a plus de couleur.

Je me tourne vers ma mère. Elle a choisi de lessiver le gourbi en solitaire. Elle n'a pas voulu se mêler à l'orgie de larmes qui nous parvient des poitrines essoufflées et des gorges éraillées. À cause de ses gestes brusques, son foulard s'est dénoué ; elle l'a ôté. Ses cheveux noirs, brillants et souples retombent sur ses genoux. Maintenant, elle se tient accroupie. Même en pleine action, ma mère ne transpire jamais. Elle a tellement travaillé qu'on dirait qu'elle a épuisé toute la sueur de son corps. Les larmes perlent rapidement dans ses yeux et glissent sur ses joues lisses, sur les pommettes, jusqu'au menton. C'est comme ça que ma mère pleure, elle que le malheur a tant endurcie : elle continue sa besogne, elle rumine, amère, puis une larme, une seule, énorme, translucide, franchit le barrage de sa paupière inférieure avant de rouler sur son visage diaphane. Ma mère ne s'essuie pas ; elle laisse sa joue mouillée sécher à l'air. Si elle pleure au vent du reg, elle gardera une trace brunâtre sur son visage, jusqu'à sa prochaine toilette.

Ma mère est née dans ce hameau composé de trois maisons dispersées sur un plateau rocailleux et poussiéreux, à cinq lieues de la route. Elle a eu moins de chance que mon père. Chez lui coule une rivière, il y a des cultures, des arbres fruitiers. De loin, quand on arrive, on découvre admiratifs des peupliers hauts et majestueux. Ils forment une guirlande à l'horizon, et quand la brise siffle dans leurs cimes ils embaument les alentours d'une odeur suave. Le père de ma mère n'a pas eu le temps de planter des arbres qui auraient pu fournir de l'ombre à quelques parcelles dans ce désert inhospitalier, stérile, où il faut aller puiser l'eau à l'autre bout du plateau, à une source qui coule sous un rocher. Un calvaire, sans le secours de l'âne !

Entre deux sanglots, ma mère a murmuré :

— Tu es parti si brusquement...

Je ne savais pas si elle évoquait son père ou le mien. Son papa, qu'elle adorait, était mort très jeune.

En laissant traîner mes oreilles du côté des adultes, j'ai appris que la tante dont ma mère est en train d'effacer les traces de sang s'était apprêtée de manière somptueuse et héroïque pour attendre la mort, pendant que les soldats français dégoupillaient leurs grenades au-dessus du puits d'où se défendaient les rebelles arabes. Elle se savait condamnée et ne pouvait pas fuir. Elle s'était lavée consciencieusement, des pieds à la tête, sans se préoccuper davantage des combats qui faisaient rage à deux pas. Puis elle avait enfilé sa plus belle robe, celle qu'elle avait fait confectionner pour la prochaine fête de Sidi Ali, sur un jupon de la même couleur. Ainsi, la robe ne paraissait pas transparente, et elle était encore plus élégante. Elle avait peigné sa longue chevelure claire et l'avait enduite d'huile de monoï ; puis elle l'avait coiffée en une lourde tresse qu'elle avait enroulée autour de sa tête et recouverte d'un foulard léger avec des motifs dorés. Elle avait maquillé ses yeux avec du khôl. Son regard perçant devint encore plus intense. Lorsque les soldats étaient arrivés, sans doute avait-elle encore dans la bouche le goût âcre et piquant du souak qu'elle venait de mâcher, attention ultime et délicate accordée à sa personne. Contrairement à ses sœurs qui essayaient d'être le moins désirables possible devant les soldats violeurs, ce n'est pas le visage sali et maculé, le cheveu hirsute et défait, le regard bas et le dos courbé qu'elle avait attendu. Lorsqu'ils avaient pénétré dans le gourbi, les soldats avaient trouvé ce petit bout de femme — une paysanne de la montagne — debout, prête à mourir. Elle les défiait avec sa beauté. Celle de toutes les femmes indigènes, parée des bijoux ancestraux que les mères transmettent à leurs filles. Autour du cou, elle portait un collier dont le précieux métal jaune, sensible aux rayons du soleil, avait pâli. Une médaille pendait dans le décolleté de sa robe. Elle était finement ciselée, sans doute travaillée par le poinçon d'un artisan de génie. Elle représentait une main de Fatima, les cinq doigts symbolisant les cinq préceptes fondamentaux du Prophète. Au poignet, elle avait les sept bracelets traditionnels, ornés d'un motif spécifique représentant chacun une lettre du nom saint du Prophète. À ses oreilles, deux perles en nacre violette avec un mince filet d'or équilibraient joliment son visage blanc et osseux.

C'est dans cette tenue que les militaires, médusés, l'avaient découverte.

Ma mère doit plier les genoux pour voir son joli visage se refléter dans le petit miroir de l'armoire de la chambre placé trop bas. C'est notre seule glace ; c'est là que se rasait mon père. En plus, cette glace se trouve dans un renfoncement du meuble. Au-dessus, il y a le buffet qui contient la vaisselle fine, les objets délicats et les lettres de mon père, soigneusement rangées contre les verres à thé, derrière une vitre fermée à clé ; au-dessous, c'est le placard à linge. La chambre n'a pas de fenêtre ; le jour pénètre par la porte qui se trouve à côté du meuble ; la disposition alambiquée, le renfoncement où se trouve le miroir, tout ça rend les choses malcommodes. Pour se voir, ma mère est obligée de se contorsionner et de se tordre le cou... Ses longs cheveux noirs et fins tombent sur ses reins. Elle les brosse consciencieusement et les étale sur ses épaules. De temps à autre, elle inspecte la brosse. Ma mère sait qu'elle est belle. Elle ne s'apprête pour personne en particulier ; seul mon père est autorisé à la voir sans son foulard. Lors des fêtes traditionnelles, aux mariages, aux circoncisions, parmi les femmes, c'est ma mère qui est la plus enjouée, la plus vive, la plus prompte à saisir le *bendir*. Eh oui ! elle connaît la mesure ! Elle est la première à entonner le chant, repris ensuite en chœur par les femmes. Son youyou, ce fameux cri d'extase, est le plus percutant et le plus strident du *douar*. Pour moi, ce n'est pas rien. Je suis très fier !

À la tombée de la nuit, la cour disparaît dans les ténèbres (et, en cette période de guerre, « ténèbres » est le mot qui convient le mieux à cette obscurité épaisse qui s'installe pour de longues et pénibles heures). Ma mère nous fait alors rentrer dans la chambre, mes frères et moi. On s'enferme à double tour. La guerre court sur les toits. Nous nous sommes habitués à la peur, mais je ne me pose pas de questions sur ce que la guerre nous réserve concrètement. Avant que nous ne nous endormions, quel stratagème ma mère va-t-elle encore inventer pour que nos oreilles n'entendent pas la rumeur nocturne de la guerre ? Elle dispose du chant et du conte. Elle peut aussi rêver aux achats qu'elle ferait si mon père nous envoyait un gros mandat. Pour un enfant au cœur de la guerre, rien n'est plus angoissant que le silence du couvre-feu. Car il pressent que ce silence n'est pas naturel et qu'il n'augure rien de bon : il annonce la violence. Un vrombissement se rapproche. Je reconnais un moteur de jeep. D'autres suivent ; puis un camion. Ma mère est assise sur sa couche. Mes frères et moi sommes couchés sur la natte. Ma mère baisse la flamme de la lampe à pétrole ; nous baignons désormais dans une lumière ambrée, presque rassurante ; en ombre chinoise, la silhouette de ma mère s'allonge sur le mur. Bien qu'elle soit chez elle, et malgré l'heure tardive, elle a gardé son foulard sur la tête. Au cas où nous devrions nous réfugier chez les voisins ou nous enfuir par les toits, comme cela s'est déjà produit. De nouveaux véhicules militaires arrivent de partout ; le quartier est bouclé. Que veulent-ils ? Qui viennent-ils chercher en faisant tout ce boucan ? Est-ce juste un exercice d'intimidation ? Dans ses lettres, ma mère ne dit jamais à mon père que certaines nuits nous avons très peur. La guerre s'intensifie, c'est « à la vie et à la mort » des deux côtés. D'où il est, mon père se doute de tout cela, mais ma mère ne veut pas qu'il s'inquiète davantage : elle le sait déjà meurtri de nous avoir laissés seuls en de telles circonstances. Ma mère se met à chanter, ce n'est pas bon signe... Les véhicules s'immobilisent autour de nos maisons, les moteurs se taisent, les soldats sautent à terre... Si le convoi avait continué sa route, maman, soulagée, n'aurait pas chanté, elle n'aurait pas eu besoin de nous réconforter, elle aurait simplement dit :

— Pas de pipi au lit, n'est-ce pas !

Puis nous aurions fermé les yeux, nous l'aurions laissée à ses songes.

Mais les militaires courent dans tous les sens, ils cognent violemment aux portes. Il faut ouvrir, sinon ils mitraillent la serrure. Contrôle ! Cette fois donc, ma mère a opté pour le chant. Je ne trouve pas de mot français pour traduire le titre de ce chant religieux, *Allahlah*. Les syllabes s'étirent en une mélopée qui dissimule le bruit effrayant des bottes. On les entend courir sur les toits, au milieu du bruit métallique des armes, des cris des femmes dont les époux sont menottés, des coups de feu tirés sur les fuyards... Ma mère continue de chanter, de raconter son histoire ou de dresser la liste imaginaire de ce qu'elle achèterait avec l'argent d'un mandat ; voilà la solution qu'elle a trouvée pour tenter de nous protéger et éloigner de nous la peur.

Une nuit, les militaires ont sorti du lit notre

voisin de la belle terrasse et l'ont conduit vers un charnier. Sa femme et ses enfants poussaient des cris de désespoir. Ma mère était en train de nous raconter l'histoire d'une jeune princesse enlevée par un méchant aigle et détenue prisonnière dans un nid, au sommet d'un très grand peuplier ; par hasard, un beau prince charmant passait par là et, en se désaltérant dans l'eau claire d'une rivière qui coulait au pied du peuplier, il avait aperçu le reflet de la princesse... Ma mère pleurait, ses lèvres et ses mains tremblaient. Tout en racontant, elle écoutait ce qui se passait dehors, elle attendait le départ des véhicules militaires au fanion bleu blanc rouge, elle guettait les hurlements qui allaient bientôt éclater dans la rue, les youyous exaltés de tout un quartier qui appelait à la vengeance...

Ma grand-mère Hanna a un visage joliment ridé. Sur son front, elle porte les empreintes de la vie. Ses rides s'organisent en cercle autour de ses pommettes. Quand elle pleure, ses larmes décrivent des arcs sous ses yeux. Ses lèvres ont presque disparu, usées en baisers, en prières, en chants, en contes et en silence. Sur son visage, on peut lire toute la vie de Hanna. Avec des lettres calligraphiées et harmonieuses, en majuscules, sur un fond de tatouages rabougris, vert passé. Comme elle a toujours mangé des choses naturelles, ses dents sont saines et bien alignées. Elle est guérisseuse et accoucheuse ; on vient la consulter de loin. En échange de ses services, elle reçoit des œufs, de l'huile ou un pain de sucre. Elle a soigné mes angines, guéri mes fièvres. Contre les douleurs aiguës de mes otites récurrentes, dans son petit mortier fétiche en bronze elle écrasait délicatement quelques feuilles de plantes séchées ; elle en extrayait une pincée, elle la posait sur sa langue et elle la recrachait dans mon oreille enflammée.

Tous les mardis matin, Hanna quitte le reg à dos d'âne pour se rendre au marché à la ville. Au retour, elle s'arrête chez nous. Mon grand frère et moi attendons ce jour avec impatience : elle nous donne du sucre en poudre et une branche de dattes. Ma mère nous fait une tartine de pain au sucre et nous reprenons la route de l'école avec trois dattes chacun.

Ce que j'attends aussi, et ça arrive une fois par an, c'est de pouvoir suivre du regard, au coucher du soleil, grand-mère et sa fille — ma mère — qui partent en pèlerinage se recueillir devant le figuier amer sur le plateau qui entoure la maison. Le ciel abandonne sa robe blanche, reprend des couleurs et vire au rouge. De l'acajou et de l'orange zèbrent ce toit écarlate. Au-dessus de nos têtes, il devient opaque. On se croirait sous une tente. Je suis torse nu ; la brise souffle et dissipe la désagréable sensation de transpiration sous mes bras. Mon corps gorgé de soleil est très beau ; il rayonne ; mon duvet est doré ; j'ai presque froid. Hanna et Mebarka, la mère et la fille, sont près de l'arbre. C'est l'unique figuier du reg. Il y a des pêchers, des pruniers, des amandiers, les seuls arbres à dispenser un peu d'ombre, à des lieues à la ronde. On se demande comment ils ont bien pu germer ici. Peut-être un noyau jeté par un berger. Le figuier donne de gros fruits verts ligneux. Ces figues sont appétissantes, attirantes, on a l'impression qu'elles s'offrent à nous. Mais nous n'y touchons pas. Depuis que les habitants du reg ont vu mon oncle se faire fusiller au pied de l'arbre, plus aucun paysan ne lève les yeux vers lui. Quand on passe tout près, on dirait que ses branches sont des bras tendus qui nous supplient de goûter ses fruits. Mais rien à faire ! Ce surnom « amer », il le tient du jour où les militaires français ont surpris le frère de ma mère étrangement seul dans le djebel. Il fuyait : ils l'ont criblé de balles. Je me mets sur la pointe des pieds, je tends les mains et je cueille une figue dodue. J'ai beau prendre garde, lorsque je cueille le fruit, il saigne, le lait gicle du téton de la figue, une goutte perle et tombe sur mon bras. Pourtant j'ai l'habitude des figuiers, il y en a de nombreux dans le domaine de ma tribu. Au contact du lait qui pique, je sens ma peau se contracter. C'est une sensation désagréable. Au pied de l'arbre, grand-mère et maman sont silencieuses. Elles pensent à mon oncle. Ma mère, la première, les mains dans le dos, la tête nue, s'éloigne. Elle avance à petits pas, en examinant le sol. Grand-mère va de son côté ; elle traîne la jambe, une main égrenant un chapelet, l'autre tenant sa canne. Elle aussi scrute le sol. Une fois par an, après s'être recueillies sous le figuier, elles errent toutes les deux dans les parages, espérant découvrir le charnier où le père et le fils ont été ensevelis sans dignité. Elles continuent à marcher, loin l'une de l'autre. Je les suis, je les observe et je les admire. Si je m'arrêtais, je finirais par les voir disparaître derrière l'horizon. Non ! Je cours, je cours vers elles...

Ma grand-mère a une faiblesse pour mon frère. Il lui rappelle mon grand-père. Il a le même sourire, le même grand front carré, un regard franc, insolent mais souvent bien triste. Elle le cajole mais il s'enfuit, l'air ténébreux. Il est tellement sauvage...

L'âne de Hanna déteste les enfants. Il s'en détourne ostensiblement et affiche fièrement son mépris en hochant sa tête robuste et en lançant des regards de biais. Parfois il pousse le dédain encore plus loin : il se retourne, lève la queue et exhibe son postérieur devant les garnements. Il devient fou si quiconque lui monte dessus : sur son dos, il ne supporte que grand-mère. Quand nous étions petits, Hanna venait nous chercher, mon frère et moi, pour soulager ma mère. Un jour, à peine étions-nous installés chacun dans un panier sur les flancs de l'animal que la bête partit en furie et en ruades : un vrai rodéo ! Ma mère et ma grand-mère étaient tétanisées : à tout moment, nous risquions d'être éjectés avec violence et de retomber sur les cailloux. Mon frère et moi, en larmes, hurlions au secours. On maîtrisa l'âne et l'on ne nous mit plus jamais dans les couffins. Ma mère en rit encore.

C'est pour son beau visage que mon frère et moi apprécions de rendre visite à notre grand-mère. Sinon, nous nous y ennuyons ferme. Sous la canicule, il n'y a même pas un arbre à tordre, un ru à troubler. C'est toute une expédition lorsqu'il faut aller remplir les cruches à la source ; heureusement qu'il y a l'âne. Sur ce plateau désertique et caillouteux, la lumière est crue. Rien ne la tamise ni ne l'adoucit. Du début à la fin de la journée, de la prière de midi à celle qui annonce le soir, toutes les sensations sont exacerbées. La chaleur, le silence : tout est démesuré. On a l'impression que la terre bout et que s'élève un voile de vapeur. On dirait que l'horizon s'anime. Mais l'horizon existe-t-il encore seulement ? Le ciel et la terre se confondent en une immense clarté. Nous sommes à l'intérieur du soleil, dans son ventre, sur la terre où je suis né.

Quand il n'y a pas d'école, nous préférons, mon frère et moi, aller à Beni Ouassine dans le hameau de la famille de mon père. Il y a la rivière, des arbres fruitiers, et des cousins de notre âge avec qui l'on joue lorsque l'on ne nous confie pas une tâche à exécuter. Notre père a été berger, de l'âge de huit ans jusqu'à l'adolescence. Quand les bergers se firent plus rares, éliminés par les soldats français, on les remplaça par des enfants. Ils accompagnaient les bêtes aux pâturages et ne pouvaient pas être soupçonnés d'être les messagers des moudjahidin. Un jour, cette tâche nous incomba. On nous réveilla à l'aube, sans un mot ; on ne nous indiqua pas la direction à suivre pour atteindre un bon pâturage.

— Suivez Tergou ! nous dit seulement mon oncle.

Il avait une pioche sur l'épaule, la joue encore gonflée d'avoir chiqué du tabac, et il allait inspecter ses légumes.

Mon frère m'envoya à la cuisine dénicher un morceau de pain. C'était de la galette noire rassise de la veille. On la fourra en petits morceaux dans nos poches. Les femmes dormaient encore, donc pas de petit déjeuner.

Nous sommes partis derrière Tergou, qui ne nous avait pas attendus. Tergou est la vache mère du troupeau. Veaux, vaches, moutons, chèvres, boucs, le mulet, les deux chiens, mon frère et moi : nous l'avons suivie. Selon le jour et la saison, elle sait où dénicher un peu d'herbe à l'ombre, au bord d'un ru non asséché. Tergou porte beau, son cou est puissant, ses cornes longues et menaçantes. Elle est fière de son rôle de chef chargé d'une mission vitale. Et gare à l'animal maladroit qui outrepassera sa limite.

Mon frère a réussi à voler quelques allumettes et un morceau de frottoir. Nous pourrons allumer du feu pour faire cuire des oiseaux ou un gibier quelconque. Notre technique de chasse est bien rodée : nous récupérons un pneu sur le talus près de la route goudronnée ; nous le jetons dans le feu ; en brûlant, le caoutchouc fond et fournit un liquide gluant. Nous en badigeonnons la tige des plantes au bord du ruisseau, où toutes sortes d'oiseaux viennent boire. Les plus frêles, tels le rouge-gorge ou le chardonneret, se faufilent entre les buissons. Ce sont les plus vulnérables. Rapidement leurs ailes se collent aux tiges et, quand mon frère en donne l'ordre, je cours récupérer l'oiseau captif. Mon frère se charge d'égorger le volatile à l'aide de son fameux poignard, un vulgaire petit couteau au manche rafistolé avec de la ficelle. Il fait ça selon un rite bien précis : il met la tête de l'animal sur un gros caillou lisse, en direction de ce qu'il suppose être l'est, vers La Mecque. La langue de la bête doit sortir du bec. C'est un exercice toujours long et délicat. Mon frère jure, invoque toutes les putes du monde, et le sang chaud gicle du petit cou de l'oiseau... C'est moi qui suis chargé de le déplumer et de le nettoyer.

Parfois, je suis mon frère qui, au crépuscule, va à la chasse aux oiseaux nocturnes. Il n'a jamais apprécié le goût de la viande de chauve-souris, qu'on sert principalement pour accompagner des plantes médicinales. Cette bestiole se laisse facilement attraper au moment où le jour décline. Elle sort affamée de sa cachette, sa vision n'est pas encore parfaite. Elle se dirige vers la boule d'épines que le chasseur a mise au bout d'un bâton, sur laquelle elle se précipite. Mon frère préfère attraper le hibou. Malgré mon anxiété, je l'accompagne. J'ai peur de la nuit dans le désert, et du hibou. Mon frère est armé d'une lampe électrique à piles toute cabossée, fermée par un élastique. Il l'a trouvée dans le cagibi de notre oncle et la lui a « empruntée ». Mon frère marche devant moi. Le reg est plongé dans une obscurité totale. On entend les battements d'aile des oiseaux nocturnes qui s'enfuient en apercevant la lumière. Le halo de la lampe déchire la nuit, balaie la route et les branches sèches des arbres. Puis mon frère éteint et nous marchons dans le noir. Nous trébuchons régulièrement contre des pierres ou à cause des trous. Mon frère est aux aguets, attentif au moindre souffle. Si je commets la plus petite maladresse — reniflement ou frottement —, il se retourne vers moi, grimace de colère, et il me fusille du regard. Mon frère s'arrête ; il a perçu le souffle rauque d'un hibou. À mon tour je l'entends : c'est celui d'un gros animal. L'oiseau se croit invisible, il ne se méfie pas. Mon frère le cherche. Parfois, l'espace d'un instant, même dans l'obscurité la plus noire, un reflet surgit de ses yeux, qui le trahit. Il a des yeux ronds, qui tournent dans leurs orbites, enfoncés dans une tête qui tourne également sur elle-même. Il a aussi un air placide, c'est ce qui me fait le plus peur. Mon frère a compris où se tient le hibou ; avec la lampe éteinte il met l'oiseau en joue et, soudain, il l'allume : le hibou électrisé et surpris se fige sur une grosse pierre. Comme un lapin dans les phares d'une voiture. Hypnotisé par la lumière, il ne bouge plus. Lentement, mon frère s'approche de lui et, sans peine, il l'attrape. Il me le donne.

— Tiens-le !

Moi, je ne veux rien tenir du tout.

Le hibou tremble. Il me fixe. Je me détourne. Maintenant, c'est lui qui m'hypnotise. Comme doués d'un pouvoir magnétique dans les ténèbres, ses yeux extrêmement perçants me fascinent. Le hibou attend-il de moi son salut ? Je ne veux pas le regarder. Je le tiens à bout de bras. Son duvet est chaud et soyeux. Il sait qu'il me fait peur ; il ne frémit plus. Lentement, son regard me transperce. Il m'attire. L'angoisse m'étreint. Le rapace me soumet. Je craque : je le contemple. Ses aigrettes se hérissent, c'est un mâle. Ses yeux s'illuminent : surpris par ma faiblesse, il déploie ses armes. Ses pupilles tournoient dans leurs orbites, il hue, sa tête gonfle et pivote, comme ses yeux ; effrayé, je le lâche. Pan ! Je récolte un grand coup de pied au cul et des injures. Mon frère n'est vraiment pas commode !

Nous suivons longtemps Tergou. Je devine où elle nous entraîne : vers la rivière Tafna, côté Sidi Medjahed. Avec l'âge, la vieille vache s'est assagie ; elle ne coupe plus droit devant elle, affrontant talus, broussailles et rochers. Elle emprunte les sentiers de berger : nous évitons ainsi les échardes et les blessures aux pieds. Lorsque nous arrivons enfin au point d'eau, les bêtes se dispersent et se rassemblent par espèce. Les chiens cherchent des lièvres et s'éloignent de nous. Il ne nous reste plus que deux chiens ; l'armée française a tué tous les autres : ils aboient lorsqu'ils aperçoivent à l'horizon la poussière soulevée par un convoi militaire qui approche du hameau ; le rebelle en visite a alors le loisir de détaler, sans crainte. Mon frère et moi, nous rentrerons le soir. D'ici là, chacun organise son temps comme il l'entend. Mon frère part à la recherche d'un pneu de voiture sur la route goudronnée. Je vais cueillir des asperges sauvages. Elles sont cachées sous les ronces à l'abri des épines ; mes mains griffées en témoignent. J'ai trois bottes que je vais vendre sur le bord de la route. À cause de la guerre, il passe très peu de véhicules. Je m'assieds sur la borne kilométrique rouge et blanc et j'attends. Avec mon frère, nous ne nous parlons pas. Il chasse des oiseaux. De temps à autre il se tourne vers les bêtes ; pour les compter ? Le silence est troublant ; il s'immisce dans les âmes, qui deviennent silencieuses, comme celles de nos pères. Cultiver le silence dans le reg est un apprentissage comme un autre, qui se transmet. Le temps semble suspendu. Quelques cigales craquettent prématurément ; le soleil n'est pas tout à fait au zénith. Je regarde mes pieds ; dans quelques instants, l'ombre aura disparu. C'est un berger qui m'a fait remarquer ce phénomène. Je suis patient, j'attends sans quitter mes pieds des yeux. Même le scarabée en train de pousser une bille de bouse vers son trou, et dont la carapace brille d'un éclat métallique, ne me trouble pas. Je reste concentré sur mon ombre très fine qui, petit à petit, s'efface du sol. Ça y est ! Elle a disparu ; je suis tout seul, sous le soleil. La peau me démange. Je me secoue, je m'ébroue, j'essaie de me projeter à l'extérieur de mon corps pour que ma trace réapparaisse sur le sol. Rien ! J'insiste, mû par une sorte d'angoisse bizarre, entre rire et larmes. Je perds le fil du compte à rebours que je fais dans ma tête jusqu'au moment où mon ombre va revenir... Une longue minute pendant laquelle, si on n'y prend garde, on a une drôle d'impression ; comme si avec la disparition de son ombre, l'individu était mis en porte à faux, comme si son harmonie était menacée ; comme si on découvrait une espèce de peur intime et indicible, quelque chose qui serait un avant-goût de la mort... Ouf ! Me revoilà, j'existe à nouveau grâce à mon ombre, voile transparent qui, de l'autre côté de mon corps, réapparaît, d'abord par un trait imperceptible au bord de mes sandales. Au fil des heures, elle va continuer à croître, attachée à mes pas. Je suis heureux de ce retour, comme si je reprenais vie.

Pour tuer le temps, j'ai un autre jeu : la route s'étend tel un long ruban de goudron mou et brûlant à perte de vue et je dois deviner de quel côté surgira le premier véhicule, encore invisible mais dont je perçois déjà le bruit de moteur saccadé. En tout cas, ce n'est pas un camion : il ne tousse pas dans les reprises. Il grince dans les virages. Enfin, il apparaît : ce n'est qu'un éclat de lumière qui monte de l'horizon, un bout de soleil ambulant. Il suffit d'une pente pour que le son et l'image disparaissent ; le silence reprend ses droits, encore plus intense ; j'évalue la distance et le temps que va durer cette absence... Et hop ! la voiture est là : ocre, tout en courbes, c'est une Dauphine. Je me lève, une botte d'asperges dans chaque main. J'avance prudemment avec mes sandales en plastique sur la chaussée brûlante. Je tends la main droite vers la voiture qui s'approche. Mon cœur bat plus fort. Je ne suis pas trouillard : je persiste à héler les inconnus même depuis qu'un automobiliste, au lieu de payer ma botte d'asperges, a pointé un flingue noir et brillant sous mon nez, puis a poussé un rire effrayant et s'est enfui avec mes asperges. J'ai détalé comme un malade. La guerre rend fou ! La Dauphine ralentit ; elle s'arrête devant moi. C'est une famille de colons français : les enfants baissent la vitre et m'observent ; j'ai un peu honte mais je garde la tête haute : je pense seulement à la pièce jaune. Le conducteur dit à sa femme :

— Ce sont des asperges !

La mère porte un gros chignon acajou. Deux mèches coquines s'en échappent et retombent de part et d'autre de son front en sueur. Ainsi, son visage paraît moins sévère. Les enfants me toisent ; je trouve le temps long.

— C'est combien ?

— Vingt...

C'est plus par curiosité que par envie d'acheter des asperges sauvages qu'ils se sont arrêtés. L'air excédé, la mère attrape son sac, elle cherche son porte-monnaie : il est rouge, comme ses ongles et comme ses lèvres. Je donne les asperges au père, il les passe à ses enfants à l'arrière ; je n'ose pas les regarder. Je ne sais plus si j'ai dit merci. J'ai gagné vingt centimes ; la Dauphine est partie, je suis content, très content ! Soudain, j'entends un cri ! C'est mon frère, il veut tout savoir. Je lui réponds :

— *Oualou !*

En équilibre au bord du ruisseau, mon frère

n'est pas convaincu par ma réponse que répète l'écho. Il veut partager. Nous nous observons. Devant lui, je n'ose pas sourire ; mais au fond de moi-même, j'exulte.

Mon frère m'appelle. Je le rejoins sur le talus. Autour de lui, les chiens excités reniflent les abords d'un terrier. Il m'ordonne d'aller faire un fagot ; lui, rapidement, ramasse de gros cailloux qu'il dispose comme un rempart autour du terrier. Je dépose mon fagot. L'une après l'autre, mon frère enfonce toutes les branches dans le trou. Une fois l'orifice complètement obstrué, il craque une allumette ; les brindilles sèches s'embrasent. Une vieille chemise bariolée, ramassée n'importe où, lui sert de chiffon. Il en recouvre l'entrée du terrier et dirige vers l'intérieur la fumée toxique. Je me tiens prêt. J'ai l'habitude. Mon frère ne me parle pas : un grand de dix ans n'a pas à s'occuper d'un gamin de huit ans. Je dois deviner ce qu'il attend de moi, je dois le surprendre. Surtout ne pas le décevoir, une fois de plus, comme il dit. Les chiens trépignent, ils ont compris la combine ; ils grattent le sol avec rage, provoquant un nuage de poussière. En criant, mon frère les excite encore davantage ; les bêtes sont comme folles, elles aboient à tout rompre. La faim les tenaille et elles suivent leur instinct. Mon frère attend, un gourdin à la main. Même si j'imagine le désarroi et la frayeur des lièvres qui tremblent au fond du terrier enfumé, serrés les uns contre les autres, je me laisse prendre au jeu et au crime. La famine nous pousse. Je suis prêt, et excité aussi : je me jetterai sur le premier qui, au bord de l'asphyxie, tentera une sortie héroïque. Au passage, le pauvre récoltera un coup de gourdin. Le premier nous échappe. Ivre de fumée, il zigzague, trébuche dans le ru, se ramasse tant bien que mal avant de disparaître dans les fourrés. C'était un mâle, le père certainement. Il montrait l'exemple sans doute, haut perché sur ses antérieurs, la peau sur les os. Je ne suis pas responsable de ce ratage : c'est mon frère qui joue du gourdin. Je me retiens de pouffer et je m'écarte, car je ne tiens pas à voir le gourdin tomber sur mon dos. Le chien qui a détalé à la poursuite du lièvre revient l'œil triste, la langue pendante et baveuse. L'autre chien est devenu fou : si on ne le retenait pas, il entrerait dans le terrier malgré le feu et la fumée. La deuxième tentative est la bonne : le lièvre étouffe, il lui reste assez de forces pour jaillir du terrier, mais il se heurte à la muraille de cailloux élevée par mon frère. Le temps qu'il se redresse et le gourdin lui brise les os.

Au moment où Tergou traversait la route goudronnée, suivie du troupeau et des chiens, le car du soir venant de Tlemcen apparut, presque comme un fantôme. Il donnait de grands coups de klaxon pour faire dégager la route. Ses pneus lisses crissèrent, et il finit par piler devant les bêtes terrorisées. J'ai craint que dans son élan il n'emportât la moitié des moutons. Le chauffeur était un type aux grosses joues et au menton proéminent, qui portait de grandes lunettes noires. Il prenait à témoin les voyageurs entassés autour de lui. Il s'agitait derrière son volant et me désignait méchamment du doigt. Tergou n'en avait rien à faire, elle nous ramenait au hameau à l'heure convenue, avant la nuit. J'avais hâte d'y arriver, moi aussi.

Une fois le bétail rentré, la pièce jaune de vingt centimes serrée dans le poing, je cours vers le camp numéro sept ; cinq kilomètres au milieu de nulle part, sans croiser âme qui vive ; avec le ciel pour seul compagnon, se colorant des nouvelles teintes du soir, plus douces, et le soleil descendant peu à peu. À l'horizon, sur un plateau, je distingue des triangles sombres qui se détachent sur un fond rouge : c'est tout un village de guitounes dont je ne perçois encore rien : ni les âmes, ni les animaux. J'entends derrière moi un bruit de moteur. Pas besoin de me retourner, je reconnais les jeeps. Je m'écarte de la piste. Un véhicule s'arrête à ma hauteur. Un soldat me dit de monter. J'ai peur, je ne réponds pas, figé. Un harki, pensant que je ne comprends peut-être pas « l'invitation », la traduit en arabe ; je suis gêné ; ils insistent en riant, gentiment ; ils regardent mes genoux éraflés, mes pieds nus dans les sandales déglinguées et poussiéreuses. Je me sauve, ils s'en vont. En approchant du camp, j'aperçois des silhouettes, des adultes, des enfants, un jerrican ou une cruche à la main, qui font la queue devant un camion-citerne qui distribue de l'eau. Les militaires quadrillent le camp. Dans l'obscurité qui s'épaissit, je ne distingue pas les yeux des sentinelles qui veillent au sommet des miradors, mais je vois leurs armes briller sur leurs épaules dans les dernières lueurs du couchant. Leur éclat fait frémir. J'entre dans ce camp de Régois qui ont été expulsés de leurs hameaux pour avoir caché et nourri des clandestins. Ici les mouvements sont contrôlés, les âmes répertoriées. L'armée française n'a pas jugé utile de leur fournir des tentes. Chaque famille indigène a dû se fabriquer elle-même un semblant d'intimité, à l'aide de nattes et de couvertures. Dans la journée, ces *kheïmas*, ces guitounes, sont brûlantes ; à l'intérieur, c'est comme si on était dans un plat de tagine sur le feu. Sur ce plateau désœuvré, on cuit dehors et dedans. Un âne brait, des enfants jouent et rient on ne sait pas bien où. Je file vers l'épicerie du camp avec mes vingt centimes. Le moteur du groupe électrogène de l'armée tousse, annonçant que le camp va bientôt être éclairé. Le bruit devient saccadé ; les premières lampes, délimitant le contour du terrain, s'allument. Les deux allées s'éclairent à leur tour ; enfin, quatre projecteurs — baptisés à juste titre « poursuites » — plongent du haut des miradors et balaient le camp de leurs faisceaux en pivotant dans tous les sens. Il ne manque plus que la sirène, qui interdit le moindre écart et glace d'effroi quand elle retentit. La petite épicerie est tenue par un gros futé qui réussit à tirer profit de cette situation pénible. Néanmoins, elle nous dépanne bien. Le toit est bas, les murs sont couverts d'étagères et de tiroirs. Le bonhomme ne peut pas faire de gestes brusques ou se lever précipitamment, sinon il risque de casser quelque chose. Il le sait, il se déplace donc avec précaution. À moins qu'il ne soit tout simplement lent par nature ! Sa chéchia rouge est noire de poussière et collée à son front en sueur. Il a de grosses joues pas rasées. Avec sa corpulence, je me demande comment il fait pour pénétrer dans son minuscule gourbi. Peut-être l'a-t-on posé là et a-t-on construit la cabane autour de lui...

— Deux bonbons au caramel !

— T'es qui, toi ?

Il sait que je ne suis pas du camp. Il me pose la même question chaque fois que je vends une botte d'asperges.

— De Beni Ouassine.

— Votre nom pue tant qu'on n'ose pas encore vous déplacer comme des chiens, comme nous !

Je ne lui réponds pas ; ces gens ne nous aiment pas et si mon grand-père était avec moi il lui fermerait le clapet, avec son sourire en biais.

— Mais ça viendra bien un jour ou l'autre ; vous grillerez à nos côtés, loin de votre rivière, de votre puits ; y a pas de raison !

Il me tend deux carrés de caramel et encaisse

ma pièce de vingt centimes. Notre dachra ne sera déplacée que lorsque l'armée aura surpris chez nous les chefs du maquis qui sont en relation avec mon grand-père... Si ce gros plein de soupe sortait un peu de sa cahute, il le saurait ! Notre hameau est sous surveillance constante, nuit et jour. Notre nom est illustre dans le reg : on nous admire. J'ai mis un caramel sous ma langue. Je garde l'autre pour mon frère. Il se ramollit dans ma main. La nuit est très sombre, à peine éclairée par un mince croissant de lune. Je sais que c'est une heure délicate où il faut que je maîtrise mon imagination. Sinon, quand j'erre seul dans le reg ou dans la ville endormie, je risque de me laisser contaminer par l'atmosphère morbide, glauque et sordide de la guerre des adultes. Dans l'obscurité, sur le sentier inégal, je dois écarquiller les yeux ; le silence trop lourd pèse sur mes épaules. Toutes les horreurs que j'ai vues et entendues sur ce territoire m'angoissent. Je tente de m'en débarrasser en me concentrant sur cette épine que j'ai récoltée sous le pouce du pied gauche pendant la cueillette des asperges. Je me rends compte que, depuis, je marche l'orteil contracté, pour éviter qu'il frotte contre la semelle de ma sandale. C'est l'heure aussi où je me détends, ma petite carcasse de gamin se repose un peu.

Alors, réapparaissent les petits tracas de tous les jours — la soif, la faim — que l'enfant trépidant que je suis voudrait ignorer et repousser... Je ne suis pas loin de notre hameau. Je suis fier de moi : durant ce long trajet, j'ai réussi à ne pas me laisser submerger par le souvenir des hurlements de terreur, des taches de sang sur les murs des gourbis... Car, sur le chemin, il suffit d'une ombre furtive, d'une silhouette suspecte, un rapace qui s'envole, pour que je perde la tête et tous mes repères... Je cours, je cours jusqu'au hameau. Les hommes sont rassemblés non loin du puits. Ils sont assis en cercle, les jambes croisées, autour d'un kanoun sur lequel chauffe une théière. Des enfants se poursuivent et jouent. Dans la cour principale du hameau, je sais que je vais trouver ma mère avec les autres femmes. Elles écossent des fèves et des petits pois à l'abri des murs de chaume. Elles rient, elles se moquent. Sur leurs visages flottent les reflets orange d'une lampe à pétrole. Dès qu'elle m'aperçoit, ma mère s'écrie :

— *Ya ouili !*

L'index sur la lèvre supérieure, elle a l'air exaspéré.

Comme je pense être un enfant qui a tous les droits, y compris celui de traîner seul tard le soir sans avertir personne, je vais me caler entre ses genoux sans vergogne. Je n'ai qu'un seul souci : qu'on m'enlève cette maudite épine du pied qui continue à me faire souffrir. Je ne réponds pas à ma mère :

— Où étais-tu ? Que faisais-tu ? Et ton frère ?

Sur le reg caillouteux, ou sur les pentes goudronnées de la médina, mon frère excelle au jeu de la jante de vélo poussée avec un fil de fer ! Je l'ai aperçu en passant près du puits. Dans l'obscurité, on ne distinguait plus grand-chose, seulement l'éclat métallique des jantes. Mon frère était à la tête d'un peloton de coureurs.

Ma mère demande une aiguille à coudre, qu'on lui donne. Elle attrape mon orteil sale et le frotte avec ses doigts humectés de salive. Je l'énerve, avec mon épine. Alors que les autres femmes, libérées de leurs nourrissons qui dorment déjà, rient et plaisantent. Sur la peau lisse, elle cherche l'épine minuscule. Chaque fois qu'elle la frôle, je rétracte mon orteil.

— Tu bouges encore, je te pique ! me lance ma mère.

Je sais qu'elle le ferait ; elle l'a déjà fait ! Angoissé, je me concentre sur le bout de l'aiguille qu'elle va enfoncer dans ma chair, plus profondément que l'épine pour la faire sortir. La première piqûre est la plus douloureuse.

Ensuite, ma mère creuse tout autour de l'épine pour l'expulser délicatement, sans me faire souffrir. Elle demande qu'on approche la lampe. Je n'ai jamais avoué à ma mère que, malgré la peur de l'aiguille, j'aime bien ce genre de situations. Un peu comme quand elle cherche des poux sur ma tête : elle s'occupe de moi, je suis au centre de ses intérêts. C'est une façon tendre d'achever une si longue journée.

Notre cousin qui possède un commerce sur la route de Tlemcen sait que ma mère a du mal à se faire respecter de mon frère. C'est pourquoi il a envoyé chez nous un de ses collègues, marchand de primeurs, qui a proposé de l'embaucher sur son stand au marché. Ma mère a hésité.

— Votre fils a quitté l'école. Autant qu'il apprenne un métier !

— C'est encore un enfant !

— Il va sur ses onze ans ! a répliqué le marchand. Et tous les soirs, avec l'argent, il vous rapportera aussi un panier de fruits et de légumes !

Ma mère a accepté.

— Il est où ? a demandé le commerçant.

— Trouvez-le !

Le lendemain matin, je suis trop curieux pour suivre le chemin de l'école. Mes pas me conduisent vers les allées encore désertes du marché. La brise légère pénètre dans la halle par la grande arcade. Elle atténue la forte odeur de graisse qui occupe tous les étals. On charge et on décharge des caisses. Le bruit résonne jusqu'au plafond. J'aperçois le torse de mon frère qui dépasse d'un éventaire. Autour de lui sont rangés des cageots pleins de fruits et de légumes. Je me demande comment il fait pour attraper des choses à l'extrémité de l'étal avec ses petits bras. On dirait qu'il est en prison. Levé à l'aube, il a encore les paupières pleines de sommeil. Son patron est un grand maigre aux genoux cagneux et au regard malin : il ressemble à un escroc. Il arrose les salades au bord de la fontaine. C'est curieux comme je n'aime pas cet homme. Si mon père était là, nous serions sur le chemin de l'école, mon frère et moi, et ce type n'aurait jamais franchi le seuil de notre maison. Une enfance sans bonnes nouvelles, ni surprises agréables, c'est long.

Pendant ce temps, mon père travaille en France. On lui a donné un marteau piqueur qui défonce violemment le sol goudronné. Du matin au soir, qu'il neige ou qu'il pleuve, subissant les secousses de cet outil lourd, mon père creuse. Comme un chercheur d'or. Autant vous le dire tout de suite : pendant quarante ans, mon père a creusé des kilomètres de tranchées dans cette banlieue, la Seine-et-Oise, et à part des tonnes de courbatures, il n'a jamais rien récolté, pas la moindre pépite ! C'est pourquoi, quand j'énerve ma mère, elle s'exclame, ironique et tendre : « T'es comme ton père ! »

Après l'école, ou ce qu'il en reste — nos instituteurs français fuient la guerre l'un après l'autre —, je retourne voir mon frère au marché. Il déchire une grande feuille de journal jaunie et l'étale soigneusement sur la balance. Puis il pose dessus des fruits ou des légumes qu'il pèse sous l'œil de son patron. Chaque nouveau client se croit obligé de s'exclamer :

— C'est ton fils ?

— Non, mes enfants sont plus jeunes ! ricane le patron en rendant la monnaie.

Mon frère est sombre. Il m'aperçoit ; il a l'œil noir, comme s'il était sur le point de tout faire valdinguer. Ça m'amuse. À moi, il ne cache pas son ressentiment. Il attend que je le rapporte à notre mère. Lorsqu'il y a un peu moins de monde dans la queue devant l'étal, il me fait signe de le rejoindre discrètement derrière la bâche du stand. J'obéis : maintenant me voilà blotti dans le passage étroit qui sépare deux éventaires. Je guette les allées et venues du patron qui, en l'absence de clients, transvase le contenu d'un cageot dans un autre qu'il charge sur un chariot attelé à un cheval le nez dans un sac d'avoine. C'est le moment que choisit mon frère pour me lancer une banane. Je ramasse le fruit et cours m'asseoir au pied de la fontaine. Éplucher ce fruit inconnu m'amuse : on dirait un déshabillage. Petit à petit, la partie comestible de couleur vanille apparaît. Je la déguste lentement. Je découvre un goût nouveau et surprenant. Je conserve longtemps la pelure à la main. Tous les soirs, mon frère rapporte de son travail un panier de légumes mais très peu de fruits, car ils coûtent plus cher. Il donne une pièce à ma mère et s'en va jouer en courant. Je le suis. Il est seul, assis par terre contre le poteau de béton qui soutient la seguia des colons. Il recompte sans fin les pièces jaunes qu'il a volées dans la caisse de son patron. Je m'en doutais : je ne suis pas du tout surpris. Pour lui, c'est une façon de se révolter. Dans la manière qu'il a de garder cet argent serré fort dans son poing, on perçoit sa violence. Il pense, il réfléchit à quelque chose de précis, tellement concentré que le silence en devient troublant. Il ouvre le poing, il prend une pièce jaune et, sans même daigner me regarder, déclare :

— Encore deux pièces comme celle-là et on

s'offre deux places de cinéma pour le film de cow-boys sur la place.

Il se lève et se dirige vers les grands. Une fois la canicule passée, ils s'affrontent au ballon. Je vais aller au cinéma ! Je frissonne, avec un sentiment mêlé d'angoisse et de plaisir. Je n'en reviens pas. Je ris, les mains devant la bouche. Je vais enfin découvrir ce qui se cache derrière l'épaisse porte doublée de cuir rouge de la salle de cinéma, ce lieu où vont, endimanchés, les enfants de colons avec leurs parents. Sur le grand panneau au milieu de la place, il y a une réclame avec l'affiche d'un film de cow-boys. On y voit le héros, le nez fin et pointu, et le méchant, le hors-la-loi : ils vont en découdre et s'affronter en duel. Ils ont la main sur la crosse de leur arme, prêts à dégainer. Au-dessus du beau et jeune héros, en transparence, on distingue le gracieux minois de la belle héroïne, inquiète avant la bagarre. Le méchant a un gros nez, une bouche biscornue et il n'est pas rasé. Il a le regard acéré. Juste au-dessus de son chapeau miteux, en relief transparent, on distingue une banque : des hommes masqués, qui viennent de la dévaliser, s'en échappent en courant.

J'ai pris la place de mon frère, dans le trou au centre de l'étal, entouré de fruits et de légumes. Le patron est venu me cueillir sur le chemin de l'école et il m'a dit :

— Ton frère s'est sauvé, tu le remplaces, ta mère est d'accord !

Je n'ai rien répondu ; j'étais trop surpris pour réagir, me sauver ou rire. Pour atteindre la balance, je suis monté sur un cageot. Je ne m'inquiète pas de savoir si je vais m'en sortir lorsqu'il y aura foule. Je ne pense qu'à déguerpir le plus vite possible de ce trou, comme mon frère, et je ris d'avance du tour que je jouerai à ce grand benêt de patron dès qu'il ira jacter un peu plus loin. Je ris aussi des frasques de mon frère et je devine où il a pioché pour réunir l'argent des deux places de cinéma, une place pour lui, et l'autre pour moi. Car c'est aujourd'hui que le film de cow-boys est projeté. Mon frère ne m'a pas prévenu, il ne m'a pas demandé de l'accompagner. Il a dû aller m'attendre à la porte de l'école. Mais moi, j'ai oublié qu'il viendrait. Quand je ne suis pas dans la lune en train de rêver, je passe la plupart de mon temps à écouter ma mère me parler de ses soucis. Elle n'en parle qu'à moi. Finalement, mon frère aura travaillé cinq jours dans cette odeur de tomates, de melons et de bananes.

Dans la forêt, le roi des arbres, c'est celui qui est le plus grand. Il domine les autres plus petits et leur fait de l'ombre. Dans un marché, c'est l'étal qui exhale l'odeur la plus forte qui tient le haut du pavé. En termes de parfum, chez les fruits, ce sont les melons qui arrivent en tête, devant les bananes et les pommes, talonnées de très près par les tomates en branche ; la branche sent davantage que le fruit lui-même. Mais il y a aussi les échalotes. Il y en a en toutes saisons, elles n'abdiquent jamais et narguent les oignons, les poireaux. Elles ont plus de goût que n'importe quelle autre plante de saison, comme la coriandre, la menthe, la ciboulette, qui exigent d'être rassemblées dans un coin spécifique toutes ensemble pour qu'on sente leur parfum ! Quelques étals plus loin, les aromates se livrent à une bataille épique des odeurs. C'est à qui sera le plus odorant ! Le cumin frime toujours devant le poivre. Ma préférée, la cannelle, se désole dans son casier ; à côté d'elle il y a un tiroir plein à ras bord de ces racines qu'on ajoute aux potages destinés aux malades fiévreux ; et puis il y a le casier de ras el hanout.

Soudain je me redresse. Dans la foule, entre deux étals, je surprends des yeux qui m'épient. Mon frère m'adresse des mimiques qui m'ordonnent de le suivre. C'est bientôt l'heure de la séance de cinéma. Il est surexcité et pressé. Je cherche où est le patron : pour l'instant, il vante les mérites de ses pastèques à un gros colon méfiant. Il en veut une caisse entière. Ils discutent du prix. Je n'ose pas me sauver comme le suggère expressément mon frère. Excédé de me voir planté comme un cageot, il finit par s'en aller. Juste avant de disparaître derrière la bâche qui le dissimulait, mon frère m'a montré les deux tickets de cinéma. Je pense à ma mère. Que dira-t-elle si je déserte moi aussi ? Les légumes que nous offre le patron sont les bienvenus. Hier, nous avons eu un melon. Mais un film, dans un vrai cinéma ! Je ne sais plus ! L'idée que mon frère va offrir une place de cinéma, la mienne, à un inconnu, me donne des crampes d'estomac. Le patron se dirige vers le chariot pour prendre le cageot de pastèques destiné au colon. Je me baisse ; je disparais sous l'étal. Je cours vers le cinéma. Je n'ai jamais couru aussi vite. Dans la rue, des automobilistes klaxonnent, surpris par mon passage. Lorsque j'arrive, à bout de souffle, à la porte du cinéma, il n'y a plus personne. Tous les spectateurs sont entrés. Je colle mon nez à la vitre du caissier ; je lui explique que mon frère avait acheté deux places, qu'il y en avait une pour moi. Il le connaît et il me reconnaît. Il me dit que mon frère est dans la salle et qu'il a cédé ma place au fils du cordonnier contre un lance-pierres. J'éclate en sanglots et je m'assois sur les marches. Je pleure à grosses larmes. Soudain, un coup de pied aux fesses me surprend.

— Tais-toi et entre ! me lance le caissier en entrebâillant la porte.

Il ne me le répétera pas deux fois. La porte se referme derrière moi. Après la vive clarté du jour, je me retrouve dans l'obscurité totale. Mes yeux s'habituent lentement à ce changement brutal. En outre, le son fort et nasillard me permet de me diriger vers une porte capitonnée. Je la pousse ; devant moi, une salle obscure et un immense écran sur lequel on projette un dessin animé ; dans la salle, des dizaines de spectateurs, bien sages, qui s'esclaffent. Je reste debout au fond de la salle. Au premier rang du balcon, les spectateurs sont accoudés sur la rampe recouverte de tissu rouge molletonné. Dans le faisceau du projecteur, la fumée des cigarettes qui monte vers le plafond dessine des reliefs onduleux. Je n'ose toujours pas bouger, je crains de déranger. Je cherche mon frère. L'ombre et la lumière se succèdent si rapidement sur l'écran qu'il m'est difficile de discerner qui que ce soit. Je m'assieds sur un strapontin. À ma gauche, une mère ouvre un sachet de bonbons qu'elle tend à ses enfants. Plus loin, son mari arbore l'air satisfait du dimanche ; il fume une cigarette à filtre jaune. Je m'aperçois que je suis assis dans l'espace des Français ; les Arabes sont aux trois premiers rangs. Je regarde autour de moi : aucun signe de malaise ; je reste à ma place. J'écarquille les yeux, je suis tout ouïe devant ces animaux qui sur l'écran se comportent comme des humains et parlent si bien le français. Je suis ravi. Je ris comme les autres, c'est le premier dessin animé que je vois. Le personnage que je préfère, c'est le loup vêtu d'un smoking qui est prêt à tout pour séduire la chanteuse de cabaret et coucher avec elle. Elle joue l'allumeuse un peu salope avec lui mais n'a d'yeux que pour son rival, un gentil chien. On a droit à un autre dessin animé : le public est enchanté. C'est encore un loup, encore plus ringard et sot que le premier ; il tend des tas de pièges à une espèce d'autruche qui file plus vite que le vent ; il voudrait bien l'assommer et la manger. Toutes les tentatives du loup se retournent contre lui. Après un certain nombre d'échecs, je me prends de sympathie pour ce loup et je me mets à détester l'oiseau prétentieux qui sourit obstinément ; ses « bip-bip » m'énervent. Finalement, sur cette route mythique du désert, le grand loup niais au poil hirsute et à la langue pendante finit projeté dans les airs comme un boulet. Il s'apprêtait à tirer sur l'oiseau et s'est malencontreusement retrouvé à l'intérieur du canon. Boum ! Le public applaudit. C'est l'entracte. La lumière se rallume lentement. Un grand lustre en verre, en forme de pyramide inversée, est accroché au plafond. Je reviens à la réalité. Les colons sont aux bonnes places ; les indigènes, sous l'écran, croquent des graines de maïs et de courge grillées et salées. Ils sont hilares, contents d'être là. Je cherche toujours mon frère. Il est calé dans son siège en bois. Il attend le film comme on attend la messe. Moi aussi. Le noir se fait lentement. La rumeur se tait aussi et c'est le souffle coupé que colons et Arabes, figés dans un même silence, avec la même appréhension, fixent l'écran. Je suis étonné par la concentration de chacun.

Tous regardent vers le même horizon. Quand soudain, sous le soleil torride, apparaît le sauveur, le front en sueur, et grimaçant de souffrance. Il décroche une gourde de la selle de son cheval. Il l'approche de ses lèvres gercées ; la gourde est vide ! Il la jette par terre. Le cowboy est épuisé, il descend de sa monture pour la soulager. Sous son chapeau poussiéreux, il plisse les yeux, ivre de fatigue et de soif. Autour de lui, le désert rouge paraît infranchissable. Comme ce héros, j'ai soif et je ne veux pas mourir épuisé sous le soleil. Un rapace énorme, le bec fourchu, les ailes noires, m'a repéré ; il s'est posé au sommet de la falaise qui surplombe le canyon. Il attend que je m'abandonne, sans forces. Avec ce que je viens de voir, j'en ai assez pour en rebattre les oreilles de mon camarade Abdelrahmane. Je me rassure vite fait : ce héros que j'attendais tant ne peut pas mourir maintenant, sinon le film s'arrêterait... Tout s'est passé comme dans la vie ; une image après l'autre, j'ai détesté les méchants, j'ai dégainé avec le héros, et j'ai trouvé apaisantes et fraîches les lèvres framboise de l'héroïne aux yeux humides et pétillants. J'ai étouffé des larmes, j'ai réfréné deux grands éclats de rire et j'aurai gardé de tout cela un délicieux souvenir... Mais un paysan de Msirda — les pauvres ! les appelle-t-on chez nous —, juste avant le duel entre notre héros et le méchant, a envoyé sa babouche trouée sur la gueule en biais du hors-la-loi qui s'apprêtait à tirer dans le dos du héros. Sous le coup, l'écran a tremblé mais le méchant est resté imperturbable et insensible aux insultes. Le Msirdi s'est fait houspiller par les siens et toute la colonie s'est moquée de lui. Après cet incident, j'ai mieux compris d'où venaient les autres marques sur la toile...

L'indépendance est imminente. L'école a été abandonnée par les fonctionnaires, qui ont fui vers la métropole. On dirait des vacances éternelles. Je ne m'ennuie pas : le matin je joue au ballon, l'après-midi je me baigne dans la rivière. Entre deux plongeons, je m'assieds au bord de l'eau et j'observe le pont en surplomb. Les derniers colons quittent la ville, laissent leurs empreintes et celles de leurs voitures sur le goudron qui fond sous la canicule. C'est un convoi de larmes. Je m'éloigne de la rivière. Je cherche l'ombre d'un mur. J'ai faim ; à la maison il n'y a rien à manger. Ou seulement du pain, mais ma mère le cache : elle le garde pour le soir. Ces Français qui fuient en pleurant, que j'aie pu avoir faim, ça, ils ne l'ont jamais vu. Un après-midi, à l'heure de la sieste, quand il fait trop chaud pour faire quoi que ce soit d'autre, je me souviens qu'un colon père de famille, resté seul, m'a vu prostré à cette même place. Il a arrêté sa 4 L de fonction, et il m'a tendu du pain et du gruyère. Du gruyère ! C'était un monsieur blond aux cheveux bouclés et aux yeux bleus. Il avait un beau sourire timide. Quand il m'a quitté, il pensait peut-être à ses enfants partis avant lui.

Le soir, je déambule dans la médina jusqu'à ce que je ne tienne plus sur mes jambes frêles. Le patron du kiosque à journaux m'a remarqué.

— Veux-tu vendre le journal ?

J'ai accepté avec joie ; je vends des journaux. Tous les soirs, je vais à la gare récupérer les piles des deux quotidiens nationaux qui nous parviennent par le train de cinq heures trente. Avant même que j'aie le temps de les poser sur le chariot du kiosque, le chef de gare — l'un des derniers fonctionnaires encore en place — m'achète un exemplaire de *L'Écho d'Oran* ; l'autre journal, ce sont *Les Nouvelles d'Alger*. Sur le chemin du kiosque, j'en vends quelques-uns ; les clients ont pris l'habitude de me voir.

Je m'arrête au bordel depuis que l'une des locataires, Habiba, m'a hélé derrière une persienne. Habiba ne souhaite pas l'indépendance. Comme les autres prostituées arabes, elle a couché avec les militaires français. Elle connaît son destin. Les souteneurs des filles ont déjà fui. Ils ont acheté leur passage en soudoyant la nouvelle milice d'épuration. Les règlements de comptes ont commencé. Abandonnées, les putains ne peuvent plus quitter le pays : il y a des délateurs partout, la gare est surveillée, on manque d'automobiles. La frontière est toute proche, mais personne n'osera faire passer ces pauvres damnées. Même ceux qui d'habitude ne résistent pas à l'appât du gain ! Habiba m'arrache le journal des mains et scrute la une. Désespérément, elle attend l'annonce d'un miracle. Ça me gêne. Certes, tant qu'elles sont vivantes en face de moi, tout n'est pas perdu... Mais je sais que le temps leur est compté. L'une d'elles pleure souvent. Je ne peux pas la regarder longtemps. Elles sont tout habillées, prêtes au départ : boutonnées, chaussées, le sac appuyé contre l'ancien bar. Elles me donnent toujours plus d'argent que le prix réel du journal.

J'ai une autre cliente, la serveuse du Café français. Elle est brune et elle a des yeux gris cendré. Je suis amoureux d'elle ; elle aussi, avant de me payer, elle me sourit tout en me dévisageant. En approchant du café, je suis toujours un peu ému. Avant d'y pénétrer, je l'admire longuement derrière la vitrine. D'elle, ce dont je me souviens le mieux, c'est son regard. Je pourrais le décrire, mais je préfère le garder pour moi. Le fait d'avoir une pile de journaux à vendre me donne du culot. Dans le quartier commerçant, je n'hésite pas à entrer dans toutes les boutiques. Quand je suis fatigué, je vais m'asseoir chez le meunier. Il m'achète un journal et le lit en surveillant son moulin. Les céréales fraîchement broyées dégagent une odeur âcre. Les courroies couinent, les roues dentées grincent, le grain saute dans la trémie, la farine est emballée dans un souffle rauque : tous ces bruits me transportent. Je rêve assis sur un tas de sacs recouverts d'une couche de poussière blanche. Je rêve au milieu des bruits qui deviennent comme une musique, et dans l'odeur du pain. Je me balade d'odeur en odeur : sucrée chez le coiffeur, grasse chez le boucher, anisée au bistro, celle du cirage chez le cordonnier. Ce « métier » me plaît et je me prends pour quelqu'un d'important puisque tous les jours des clients m'attendent et trépignent si je suis en retard. Mon patron est content de moi. En plus de la monnaie que certains clients me laissent, il me donne cinquante centimes tous les soirs. Et je suis fier de gagner cet argent.

Il ne faut pas ouvrir toutes les portes, je l'ai appris à mes dépens. Un jour, derrière une lourde porte verte métallique, j'ai entendu une rumeur masculine. Emporté par mon enthousiasme, j'ai poussé la porte. Mes journaux me servaient de laissez-passer. Je me suis retrouvé sur le seuil d'une grande salle sombre pleine d'hommes nus, assis ou allongés, pieds et mains liés. Les miliciens qui les surveillaient crachaient sur eux des noyaux d'olives. Les prisonniers se sont tournés vers moi, péniblement. Ils étaient amochés et blessés ; ils avaient des bleus et des griffures sur le corps et le visage. J'ai compris rapidement que c'était des harkis. Le chef des miliciens, la nouvelle flicaille, m'a insulté, a injurié Dieu et ceux qui m'avaient fait et, fulminant, s'est précipité sur moi. Du fond de la salle, il s'est frayé un passage entre les corps étendus. Il leur assénait des coups de pied d'une violence inouïe avec ses rangers. Il m'a claqué la porte au nez ; je me suis sauvé. J'ai continué mon chemin.

Je ne vendais pas à la criée, j'étais trop timide ; les gens m'arrêtaient ou me hélaient depuis leurs portes. Je n'aimais pas ceux qui lisaient la une puis me rendaient le journal froissé sans l'acheter. Je les avais repérés : j'évitais leurs boutiques ou bien je faisais le sourd lorsqu'ils m'appelaient. Je traversais le pont de la route de la gare. Je ne me mêlais pas aux curieux, aux charognards plutôt, qui, accoudés à la balustrade de fer forgé, la cigarette aux lèvres, attendaient de voir passer sur la rivière les cadavres des collabos arrêtés à la frontière. Je me disais qu'ils avaient été bien balourds : ils avaient travaillé avec les Français, s'étaient enrichis mais n'avaient pas voulu entamer leur pécule pour sauver leur peau. Alors qu'avec un peu d'argent, à la frontière, ils auraient pu graisser la patte de ceux qui les avaient surpris et tués. Maintenant, leurs corps flottaient dans la rivière...

La mort me fait peur, je n'aime pas me pencher sur cette question. Je pense à mon père ; je me demande s'il est au courant de la future indépendance de l'Algérie. Ma mère lui en a peut-être parlé dans ses lettres. La cité résidentielle des colons de la route de Tlemcen est déserte. Les Français ont quitté leurs pavillons sans fermer les volets bleus ou carmin. Les branches fleuries des géraniums embaument et pendent à travers les barreaux des grilles des terrasses. Contrastant avec le chant aigu et lancinant des cigales, le silence me trouble. Je les connaissais tous de vue, ces colons qui vivaient là avec leurs enfants. Ils se mêlaient peu à nous, nous nous croisions seulement, eux en automobile, nous à pied. Où sont-ils partis ?

C'est venu brusquement. Brutalement. Sauvagement. Les instituteurs ont fui le pays, suivis par les policiers et les gendarmes. Les militaires ont pris leur temps, ils n'avaient pas assez de camions pour partir en convoi tous ensemble. Les colons sont en pleurs. Ils serrent leurs enfants sur leur poitrine pour les protéger. Sur la route de Tlemcen, les voitures forment une file interminable.

Des drapeaux algériens flottent sur les toits. Ils ont poussé tout d'un coup, à la suite d'une nouvelle propagée par les grands. Toute la ville s'est mise à courir. En une heure à peine le pays n'est plus le même. Sur les visages, on voit que les choses ont changé. On entend à nouveau les chants arabes chantés à gorge déployée. Il y a des coups de feu, des coups de klaxon, des youyous, des larmes de joie, on partage du pain et des dattes. Les Arabes envahissent le hammam, cirent leurs bottes, brossent leurs chevaux, attellent les chariots. Tous les habitants du reg alentour débarquent en ville. Chaque tribu, avec son accent, son folklore et ses couleurs spécifiques, installe un campement autour de la place de la médina. Je cours partout, c'est une immense fête, un immense chant, une immense joie. Il y a déjà une fantasia sur le stade, on s'y précipite : les coups de feu nous guident. Les drapeaux fleurissent : aux fenêtres, au cou des chevaux, sur la tête des femmes en guise de foulard. Et ma mère ? Je me précipite à la maison. Je pleure à gros sanglots. J'ai peur de trouver ma mère triste, blottie sur le kanoun, pensive, comme souvent. J'arrive dans la rue où nous habitons ; toutes les portes sont ouvertes, tout le monde est dehors, tous les drapeaux sont sortis. Les instruments de musique résonnent, les percussions tonnent. Des hommes prient ensemble sur le trottoir, à l'abri du soleil. Les enfants gambadent, joyeux. J'aperçois des femmes qui forment une ronde ; elles chantent en chœur, battent le rythme avec les mains. Parmi elles, je découvre ma mère. Son visage rayonne de joie. Elle danse et elle chante avec les autres. Elle a aussi préparé du thé à la menthe. La porte de notre maison est ouverte, le service à thé est posé à l'entrée. Astiquée au

Miror, la théière jaune d'or étincelle sur le plateau rond finement ciselé. Dessiné dessus, il y a un paon qui fait la roue. Je cours vers la médina, je ne veux rien rater, je veux être partout, je veux partager le bonheur de la libération. Tous les yeux brillent d'un même éclat. Moi, je suis au bord des larmes. Je ris, je crie, je m'arrête aux portes, attiré par les friandises et les boissons. Les femmes qui me servent me bénissent d'une prière maternelle et me proposent du gâteau.

Voir tous ces visages heureux me réjouit, je continue à courir. Des camarades m'appellent, je ne m'arrête pas, je préfère rêver seul. Je me sers de la réalité pour la transposer et la transcender. Je me nourris d'elle, j'engrange ce moment féerique, qui me paraît presque irréel. Je suis envahi par la liesse générale, qui compense les périodes pénibles que j'ai pu vivre et que je refoule.

Hanna, ma grand-mère, dit que l'homme saint (encore un allumé !, mais ça, c'est moi qui le rajoute...) doit accueillir tout ce qui lui arrive, bien ou mal, avec la même constance, et qu'il doit chérir et bénir tous les événements de sa vie, quels qu'ils soient. Vous parlez d'un cadeau ! Je ne suis pas encore assez sûr de moi pour m'affranchir de la puissance divine, mais j'aimerais bien Lui dire un jour à ce bon Dieu que je n'aime pas tout ce qu'Il a créé.

C'est vrai aussi que je ne suis pas non plus un enfant comme les autres, comme ceux qui courent avec moi dans les ruelles de la médina en effervescence. Que penserait-on de moi si je disais que, brusquement, j'ai cessé de crier et de rire parce que les visages des putains du bordel me sont revenus à l'esprit ? Ont-elles déjà été tuées ? Ont-elles réussi à réunir un petit magot pour négocier leur fuite avec la nouvelle milice ? Je n'ai pas la hargne qui caractérise les forts, ceux qui vilipendent. Je les admire. Moi, j'ai une sensibilité exacerbée dont je me serais passé bien volontiers. Elle m'a toujours attiré du côté des laissés-pour-compte.

Je progresse lentement ; je me faufile dans une foule en liesse. *Tahia El-Djazaïr ! Yahia Ben Bella !* Et Marie ? Elle s'appelle Marie, la serveuse du bar. À cause de la chaleur, le khôl de ses paupières a coulé. Comme si elle avait pleuré. C'est la dernière image que j'ai d'elle. Le bistro est vide. Au plafond le ventilateur aux larges pales tourne au ralenti en grinçant. Des mouches mortes s'agglutinent sur le papier collant. Marie est assise sur un tabouret haut, jambes croisées. Elle fume. À ses pieds, il y a deux valises. Derrière elle, les nouveaux patrons du lieu, Ben Cheikh et son fils, sortent de la cuisine. Ils causent carrelage, peinture. Puis ils disparaissent dans l'escalier de l'hôtel. Accoudée au zinc, Marie me sourit. Mon cœur bat plus fort. Elle a déjà sorti son porte-monnaie pour payer, avant même que je lui tende le journal. Ému de la voir sur le départ, je m'emmêle les pinceaux dans ma pile de journaux et j'en fais tomber un dans une flaque au pied du comptoir. J'en tends un autre à Marie. Elle veut celui qui m'a glissé des mains et qui trempe par terre. Je refuse. Elle insiste : elle a un sourire d'une tendresse inouïe et une lueur indescriptible dans le regard. Je finis par me soumettre à sa volonté : je ramasse le journal mouillé. Elle le prend et paie. Elle veut celui-là parce qu'elle se doute que je ne pourrai plus le vendre. Je la remercie et je quitte le bar à reculons, histoire de la regarder le plus longtemps possible.

Je ne lui ai pas dit à demain ! Elle ne m'a pas dit adieu !

Marnia est euphorique. Toutes les tribus, tous les Oulds, toutes les Ben des villages et des hameaux alentour sont venus participer à la fête grandiose de l'Istiqlal. Pas une ruelle, pas une place où la rhaïta ne résonne. Devant chaque maison, il y a des plateaux de thé à la menthe, des cafetières pleines, des plats de fassa, de makrouds, de miel, de leben, de figues... le fêtard n'a qu'à se servir ! J'avance dans un labyrinthe de youyous et de chants, dans une médina jusqu'alors bridée et brimée. Elle se libère enfin, se relâche totalement, et frôle même l'hystérie. Un peu comme certaines danseuses qui, envoûtées par le rythme des claquoirs métalliques des percussionnistes du Sud, entrent quasiment en transe. Au début de la danse, la joie brille dans leurs yeux ; puis, rapidement, on a l'impression que le diable les possède. La souffrance longtemps retenue se lit désormais sur leurs visages et dans leurs regards vitreux et exaltés. La folie s'empare d'elles, tous leurs sens sont en émoi, elles se roulent dans la poussière. Il faudra plus d'un seau d'eau et plus d'une paire de claques pour libérer ces diablesses ! Mais Dieu, que leur regard reste angoissant longtemps après. Ne me demandez pas pourquoi parfois elles pleurent.

Cette explosion de joie accompagne une nouvelle qui se répand bientôt comme une traînée de poudre : Ben Bella, l'enfant du pays — les anciens le considèrent comme un fils, les mères comme un gendre idéal —, premier président de l'État indépendant, va venir ici, chez lui, chez nous, prendre part à la liesse. Après être allé à la capitale. Sur la route goudronnée, il sera accueilli par des slogans écrits à la peinture blanche : « *Yahia Ben Bella ! Tahia* l'Algérie ! »

J'ai vu Ben Bella : il n'est pas comme nous. Il a la peau claire et se pavane dans un costume-cravate. Du balcon de la mairie, il a levé les bras vers la foule qui l'acclamait. Il a des dents bien alignées et une belle gueule genre premier de la classe. Sur la grand-place, le peuple qui se masse autour de la statue de Marianne n'en croit pas ses yeux. On n'entend pas un traître mot, on se bouscule. Ce n'est plus l'hystérie, les gens paraissent aux anges. On a l'impression que, à travers lui, le peuple accède à une identité qu'il avait perdue. Il s'incarne dans le premier élu de la nation. L'élégance et le charisme de cet homme, le peuple les fait siens. Les gens pleurent de bonheur, et dans leurs yeux je lis des : « Moi aussi ! Moi aussi, je vis ! Moi aussi, je suis quelqu'un, moi aussi, je peux faire des choses ! » Enfin ! Un sentiment de liberté mêlé d'angoisse. Dans la foule, il y a des Français. Ils ont choisi de rester dans leur pays. Ils ont l'air content ; ils applaudissent au discours de leur président, même s'ils dissimulent mal leur étonnement : le pouvoir qui a été le leur pendant plus d'un siècle appartient désormais à un indigène. Jamais ils n'auraient cru possible une telle rupture.

Ben Bella entra dans la ville debout dans une décapotable, la main sur le cœur. Il incarnait la preuve vivante d'un changement radical, c'était lui le nouveau chef. Alors, aussitôt, les calculateurs, les balances, les exécuteurs de basses besognes, les arrivistes de tout poil se ruèrent sur les maisons et les magasins que les colons avaient désertés. Près de chez nous, la cité résidentielle des Français fut prise d'assaut en quelques heures et réquisitionnée par les forts en gueule et leurs familles. Meubles sur les épaules, ils investirent les lieux. Ils se croyaient tout-puissants ; ils étaient seulement aigris...

Mon père n'était pas là : nous ne nous sommes pas approprié un beau pavillon colonial abandonné. Même s'il nous tendait les bras, à deux pas de notre taudis ! À ma grande déception, ma mère n'a pas osé franchir la porte à clochette du pavillon mitoyen, bien que notre ancienne voisine, Mme Canovas, soit partie au diable sans tambour ni trompette.

Mais les nouveaux résidents se moquent de nous. Les cinq marches des pavillons leur ont donné de l'assurance. Dorénavant, nous sommes leurs pauvres ; eux, ce sont les nouveaux colons.

L'école a rouvert. Nos maîtres sont maintenant des Arabes. J'ai une maîtresse toute voilée de blanc jusqu'au nez. On ne distingue qu'un rectangle de son visage, qui laisse apercevoir ses yeux gris. Ils lancent des éclairs qui me plaisent. Le timbre grave de sa voix fait tout son charme. Sous son haïk qui ondule, on devine une grande sensualité. Chaque élève peut laisser à son imagination le soin de l'embellir. Avec ses manières délicates, ses gestes suaves, sa voix exquise et douce, elle veut visiblement nous séduire. J'irais même jusqu'à penser que lorsqu'elle passe à côté de moi dans la rangée en se déhanchant et qu'elle frôle mon bras — ce qui ne manque pas de susciter chez moi un désir nouveau —, elle cherche à m'exciter... Quel âge a-t-elle ? Je voudrais lui plaire, pour que nous soyons sur un plan d'égalité. Je quitte la classe en dernier, je musarde en relisant une leçon, j'attends qu'elle me regarde et qu'elle m'adresse la parole avec sa voix langoureuse. Mais elle s'en va après avoir fait claquer son cartable. Elle ne m'a pas vu. Mon orgueil est blessé. Je la suis dans la rue. Elle habite en face du hammam. Je m'assieds sur le trottoir avec le désir intense de la voir à sa fenêtre, dévoilée. Derrière le rideau, sa silhouette apparaît. Son épaisse chevelure bouclée tombe sur ses épaules. Je ne distingue pas ses traits. Je quitte mon poste d'observation, déçu. Je l'imagine...

Je convoque le souvenir des femmes nues que j'épiais dans l'obscurité du hammam et qui glissaient comme des ombres. J'avais encore l'âge de prendre le bain avec ma mère. Pendant qu'elle frottait mon corps à la pierre ponce, je contemplais, avec une innocence curieuse, les sexes et les seins des femmes de tous âges, et je me demandais pourquoi les grands dont je surprenais parfois les histoires en faisaient si grand cas... Le sexe de certaines femmes avait des lèvres si fines que, lorsqu'elles se penchaient au-dessus du bassin, on les voyait se balancer entre leurs cuisses. Quand elles allaient d'une salle à l'autre, elles dissimulaient ces organes derrière un seau, comme un homme quand il met les mains devant ses couilles. Quand j'étais propre et rincé, ma mère me conduisait au vestiaire.

Elle m'essuyait avec la grande serviette verte sur laquelle il y avait un paon que lui avait offerte ma grand-mère. Elle me tendait mon goûter, un quignon de pain sec comme je les aimais, et s'en allait se laver à son tour. Ma mère, à qui on avait inculqué la pudeur, ne se déplaçait jamais toute nue : elle mettait sur ses hanches la *fota* à rayures jaunes, rouges et noires qu'elle utilisait pour nous porter sur son dos quand nous étions petits, mes frères et moi. Les bras dissimulant sa poitrine, elle retournait vers la salle chaude. Je la suivais, prudemment, sur le carrelage glissant.

J'avais repéré une jeune mariée qu'on apprêtait pour la nuit de noces. Ce spectacle me ravissait toujours. Je m'assis, jambes croisées, dans une flaque d'eau chaude, et je mordis dans le pain âcre de la veille ramolli par l'humidité. J'écoutais les chanteuses qui entouraient la jeune mariée, j'observais le mouvement des danseuses qui formaient une ronde autour d'elle. Chaque fois qu'un youyou strident résonnait, Mouma, la matrone du bain, arrivait en trombe et levait l'index en signe de menace. La youyouteuse pouffait, la main devant la bouche, et se détournait. Mais lorsque Mouma me vit, elle me fixa de son regard perçant ; elle s'approcha lentement de moi, les mains sur les hanches, de biais ; elle était tout près de moi ; vue par en dessous — j'étais assis par terre —, elle ressemblait à une géante. Je ne voyais même plus ses yeux remplis de colère que ses gros nichons me dissimulaient. Elle me dit :

— Quel âge as-tu ?

Je balbutiai.

— Il n'a que cinq ans ! répondit ma mère.

Elle mentait, car elle voulait encore profiter de la gratuité pour les enfants de moins de six ans.

— Cela fait dix ans que tu me dis qu'il a cinq ans ! s'énerva Mouma.

— N'exagère pas ! répliqua timidement ma mère, qui se faisait frotter le dos par une femme que je ne connaissais pas.

— Et regarde-le, ton fils, ajouta Mouma. Il s'est mis juste en face de la lune de la petite, comme s'il avait déjà de drôles d'idées ! C'est ça qui m'inquiète, plus que la resquille !

Ma mère me regarda et éclata de rire. Mouma s'en alla, remontée comme une pendule. Ma mère m'observait avec un sourire qui me gênait. Ensuite elle regarda la petite, comme Mouma l'avait appelée, la mariée qu'on rinçait à grands seaux. Elle était allongée nue sur le dos, les cuisses écartées, les genoux relevés. Elle offrait son ventre à une femme qui lui savonnait le pubis. Le savon moussait et son triangle sombre devenait d'une blancheur laiteuse. On rinçait. Les poils du sexe de la jeune mariée luisaient et dégoulinaient sur ses fesses. Les mains expertes de la raseuse taillaient aux ciseaux la toison déjà fournie de l'adolescente. Les poils disparaissaient par la grille d'évacuation du carrelage. Pour le fin duvet, on utilisait de la mousse à raser. Une autre femme, excitée, voulut prendre la place de la raseuse qui étalait délicatement la crème. Les autres riaient. La jeune mariée aussi. La nouvelle raseuse ravie lui caressait le sexe ; sur les lèvres sensibles, elle ralentissait le mouvement de ses doigts. Petit à petit, la mariée se détendait, elle fermait les paupières, abandonnait son corps aux mains habiles et complices des femmes qui étaient passées par là avant elle. La raseuse était fière de l'effet produit par ses caresses. Il y en aurait d'autres, plus charnelles, le soir suivant. L'adolescente entonna un air mélancolique et triste. Elle enterrait sa vie d'enfant ? Émue par le chant, celle qui appliquait la crème dut céder la place à une autre femme. Avec un rasoir d'homme, elle s'occupa du bas-ventre crémeux de la future mariée. Ce rituel était exécuté avec beaucoup de douceur et de raffinement. On délimitait le sexe en deux parties. Elle commençait par les organes sensibles et roses, puis opérait un virage délicat et continuait à petits coups brefs. Ensuite, c'était plus facile, moins dangereux, le rasoir descendait vers la cuisse. Je fixais le sexe qui, peu à peu, s'éclaircissait. Il était nu, rose, refermé pudiquement sur lui-même. Il possédait ses propres traits, des détails intimes, mais son secret n'avait pas été défloré. Ensuite, c'était le rinçage. Sous les caresses et l'effet de l'eau chaude, le sexe avait rougi. Désormais il s'épanouissait. Une pommade sentant bon l'amande douce étalée délicatement par une main experte calmait la brûlure provoquée par le rasage. Au futur époux, c'était un sexe de fillette qu'on offrait : vierge, immaculé et innocent. La raseuse admira son œuvre. Elle s'exclama :

— La lune est claire, ce soir elle sera pleine !

Toutes les femmes applaudirent ; les youyous fusèrent. Ma mère me regardait avec un tendre sourire en coin. J'étais vaguement gêné, je cherchais ce que pouvait bien vouloir dire ce sourire qui s'éternisait et qui appelait une réponse. Enfin, je compris ; j'étais confus. Je rampai sur le sol et vins me blottir timidement contre elle, tournant ainsi le dos à « la lune », pour éviter de nouvelles moqueries. Je me retournai discrètement et je constatai qu'on relevait la jeune mariée. On lui présentait un vase en métal brillant ciselé d'arabesques. Elle cracha dedans le souak broyé qui avait blanchi ses dents et coloré ses gencives. On lui présenta un broc : elle se rinça la bouche pour dissiper le goût amer et piquant du tanin de l'écorce de chêne et, enfin, elle but toute l'eau fraîche du récipient. Sur les bords il y avait une résine noire, provenant d'un arbre quelconque, destinée à parfumer et à relever le goût de l'eau, et aussi à titiller délicieusement l'odorat. Les sautilleuses couvrirent son corps mouillé avec une fota et la portèrent dans le grand salon au son des youyous aigus. Je suivis les femmes, les yeux sur leurs derrières. Au salon, de nouveaux cris accueillirent le cortège. Ce joyeux chahut réveilla les bébés. Les mères restèrent indifférentes aux braillements et autres vagissements. Toutes les mains expertes maniaient déjà les *bendirs* et les *darboukas* qui donnaient la cadence. On se disputait le privilège de peigner la longue chevelure de la mariée. On avait installé l'adolescente comme une princesse sur des coussins de velours brillant. Je me faufilai entre les jambes nues des femmes et allai m'asseoir avec les enfants, en diagonale par rapport à la jeune fille, afin d'éviter les foudres de Mouma. Mes yeux ne pouvaient se détacher de la poitrine de la princesse ; ses seins pointaient légèrement tels des bourgeons en avril. Le téton était ample, ferme, couleur cerise ; il tremblait, témoignant d'une sensibilité à fleur de peau. Parfois, à cause de l'humidité ambiante, il se ramollissait ; mais sous le froid du gant, il se redressait fièrement. J'observais tous ces seins autour de moi : les uns naissaient à peine, certains étaient « à point », d'autres étaient déjà flasques... J'essayais d'imaginer ce qu'on pouvait ressentir en les caressant.

Un brouillard d'encens emplissait tout le hammam. Il fallait encore frotter le jeune corps de la future mariée avec du parfum de Cologne. Enfin, elle serait parée de bijoux ; pour intensifier son regard encore tendre, ses paupières seraient soulignées de khôl ; puis elle revêtirait avec soin le jupon de soie brodé à Tlemcen et la robe en nylon brodée de fils d'or de Damas.

C'est Naïla, la fille de notre voisin, le caïd fonctionnaire harki qui, la première, m'a caressé. Je rapportais à sa mère le tagine propre dans lequel la veille elle nous avait donné un reste de ragoût de pommes de terre et de haricots. Surtout, je devais penser à remercier, de la part de ma mère que cet élan de charité avait touchée. La voisine n'était pas chez elle, c'est Naïla qui, du haut de ses treize ans passés, m'avait ouvert. Elle était seule dans la grande maison, je n'entendais pas ses petits frères chahuter. Subjugué par sa beauté, j'avais aussitôt oublié les recommandations de ma mère. Avec mon sourire gêné, intimidé, je lui tendis le plat. Je me hâtai de reculer mais elle m'invita à avancer. J'entrai. Elle repoussa la porte du pied et alla poser le plat dans la cuisine. La maison était la plus élevée du quartier. C'est tout en haut, sur la terrasse entourée d'un muret crénelé décoré d'arabesques, à l'abri des regards, sans risque d'être surpris, qu'elle retira mon pantalon court. Elle me fit allonger sur la natte. Elle se mit à me branler, sans me demander mon avis, les yeux braqués sur mon sexe. Je ne fus pas étonné, je me laissai faire, hypnotisé : elle avait déjà la sensualité d'une femme. Naïla me prodigua des caresses qui auraient pu être maternelles mais qui, en fait, ne l'étaient pas du tout. Elle était penchée au-dessus de moi. Ses cheveux détachés frôlaient doucement mes cuisses ; elle me chatouillait. Je frémissais délicieusement. Je n'étais pas habitué à ce qui m'arrivait, je ne maîtrisais pas ma réaction : mon pénis durcit et grandit peu à peu dans le creux de sa main. Avec son autre main, elle caressait mes testicules. J'étais parcouru de frissons et je fuyais le regard de Naïla, gêné. Je me redressai, en appui sur les coudes, et éprouvai une sensation charnelle jusqu'alors inconnue. Pas question d'en rester là ! Le trouble était nouveau et fulgurant. Ma bouche frôlait sa joue. Elle avait l'odeur du savon de Marseille ; pas celle du savon noir, vendu en pain carré, destiné à la lessive et utilisé par les pauvres ; non, celle d'un autre savon, de forme allongée, brillant, coloré, vert olive ou rose, parfumé, utilisé par ceux qui prennent soin de leur peau... Naïla souriait, elle se gaussait intérieurement de l'effet qu'elle provoquait sur moi. Elle se pencha sur mon ventre ; je respirais l'odeur sucrée de son cou ; son souffle chaud caressait mon sexe. Les yeux coquins, avec un sourire alangui, elle me dit :

— Il est beau, ton kiki !

Parce qu'elle en avait vu des moches ? Moi, je ne m'étais jamais attardé sur la question. C'était vraiment une réflexion de femme ! À la visite médicale de l'école, j'avais vu le zizi de mes camarades français. Moches et pas circoncis. Leur prépuce tirebouchonnait sur leur gland comme une vieille chaussette. Au contraire, je trouvais mon sexe beaucoup plus avenant pour une fille : il paradait tête nue, l'air crâne, bien lisse. C'est à nos ancêtres que nous devons cette tradition géniale de la circoncision. C'est par souci d'hygiène qu'ils l'avaient instaurée. Quand ils revenaient de razzias contre des peuplades infidèles voisines, ils ramenaient dans les caravanes moult butin et filles vierges. Les viols étaient aussi monnaie courante et ils récoltaient donc de redoutables microbes vénériens. Pour se prémunir de ce fléau, après consultation collégiale, ils avaient pris une grande décision : ils ne partiraient plus en razzia avec ce ridicule bout de chair qui pendait au bout de leur zizi, c'était un repaire à microbes trop dangereux ;

ils lui firent donc la peau ! D'où ce charme que Naïla trouvait à mon kiki. Elle était sur moi ; je ne distinguais pas ses yeux cachés par les flots de sa chevelure. Ses lèvres humides et tièdes se refermèrent autour de mon gland. Le baiser fut long et amoureux ; une morsure soyeuse qui me transportait dans un autre monde. Avec le bout de sa langue, Naïla dessinait des cercles sur ma queue. Ses tétons pointaient sous le nylon fin de son corsage. Elle tâtait mon pénis, le soupesait. Quand elle sentit qu'il était à point, elle fit comme chez elle : elle retroussa sa robe et m'enfourcha. J'eus le temps d'apercevoir son duvet. Je tendis la main pour toucher ce triangle noir ; Naïla me retint et murmura : « Voleur ! » Avant d'éclater de rire.

Elle jouait en insistant : elle frottait sa vulve sur ma verge, de bas en haut. Mon sexe n'avait jamais été aussi enflammé. J'étais au chaud entre les cuisses de Naïla ; je découvrais le plaisir charnel. Je me laissais faire docilement. Ses caresses auraient triomphé de la volonté la plus ferme. Je respirais fort. Naïla avait la tête rejetée en arrière ; ses épaules étaient frêles et hautes, ses fesses rebondies. Elle gémissait et miaulait, le plaisir était proche de la douleur. Elle grimaçait, elle était encore plus belle. Elle accélérait le mouvement de son sexe contre le mien. Ses gestes devenaient plus rapides, plus brusques. Soudain, elle fut agitée de spasmes violents. Elle geignait, je ne voulais pas qu'elle pleure. Je balançais entre peur et exaltation ; une angoisse délicieuse m'étreignait. Tout à coup, elle se cabra, lança un cri et s'immobilisa. Un curieux liquide coulait le long de mon pénis jusque sur mes testicules ; c'était chaud. Naïla haletait, le corps parcouru de frissons. Sa main serrait toujours fermement mon pénis, que je n'avais jamais senti aussi dur et aussi long. Le plaisir montait, j'étais sur le point de découvrir quelque chose de merveilleux... Pourtant, depuis que Naïla ne tanguait plus sur moi, cette sensation s'éloignait, peu à peu le désir décroissait. Mais elle s'y remit : à nouveau elle me caressait avec son sexe. Mon pénis était mouillé. Naïla le tenait entre ses doigts. Elle frétillait et s'agitait de plus belle. La merveilleuse sensation de plaisir, étrange et inconnue, renaissait. Elle grandissait en moi. Mon corps était électrisé. Comme Naïla auparavant, mes sens étaient bouleversés. Je m'arc-boutai : quelque chose semblait chercher à jaillir de moi. Des frissons parcouraient mon ventre. Je devinais que c'était par le sexe que, naturellement, j'allais expulser quelque chose... Comme une éruption volcanique. Et soudain, ce fut là ! Je ne pouvais plus me retenir. Je lâchai un jet long et violent ; j'exultais, le corps en émoi. Je me vidai, terrassé par le plaisir. Je m'étendis, je savourai ce moment délicieux et unique, le premier. Je ne m'occupais plus guère de Naïla, j'étais tellement bien. Je me serais endormi dans ce duvet. Mais mon pénis glissa de la main maladroite de Naïla et pénétra dans son vagin onctueux, au risque de déchirer l'hymen fragile. Cet incident me procura un vif plaisir mais il calma brutalement l'ardeur de Naïla. Elle était en colère : elle avait failli être déflorée. Elle me pressa de me rhabiller et me dit :

— Dorénavant tu m'obéiras !

Ensuite donc, et plus d'une fois, je lui ai obéi. Avec un ineffable plaisir ! Souvent, ma Naïla a frétillé nue sous sa robe. Elle a ondoyé et vogué avec enchantement sur mon ventre. Elle a gardé mon pénis dur prudemment couché sous son sexe. Alors, elle avait le visage heureux, des yeux câlins. Son clitoris était velouté. Elle m'avait appris à la lécher. Son corps était balayé de frissons, ses seins pointaient vers le ciel, et elle atteignait l'orgasme. Cette explosion faisait basculer ma Naïla sur le flanc.

Je lui ai obéi, jusqu'au jour où la nouvelle police militaire algérienne est venue arrêter son harki de père. Naïla, ses sœurs, ses frères et sa mère sont partis la nuit même.

Naïla m'avait initié aux mystères de la sensualité. J'avais entrevu une partie de moi-même que j'ignorais jusque-là. Je pressentais qu'avant de devenir adulte et de m'accomplir totalement, il y aurait d'autres merveilleux secrets à découvrir. Pour l'instant, j'étais encore un morceau de glaise informe qu'il fallait dégrossir, un bloc de pierre à tailler. Au dernier coup de burin, je trouverais peut-être une pierre précieuse. Ou bien un grain de sable !

J'ai accepté le petit démon qui vit en moi et qui me rend parfois envieux, jaloux, menteur ou orgueilleux. Et l'ange ? Je suis un rêveur, né dans une famille malmenée par la vie.

Je vends beaucoup de journaux aux soldats de la caserne. Le planton de service m'attend à l'heure habituelle : il m'achète ce que ses collègues ont commandé ; l'argent est prêt, je le mets dans ma poche. Dans la grande cour en terre rouge, les récents inscrits de notre contingent suivent l'exercice. À partir de maintenant, le pas est réglé sur des « un dé, un dé » en langue arabe. Ceux-là ont une occupation, une solde : les bienheureux ! Une nouvelle prostitution s'est organisée derrière les barbelés qui entourent la caserne. Des souteneurs font passer la frontière à des filles qui viennent du Maroc par des sentiers de traverse. Elles tournent en rond et attendent les soldats. Elles ont l'air triste. À leurs regards, on comprend qu'elles n'attendent pas grand-chose. Putain de vie !

J'aime bien entendre le bruit des pièces dans la poche de mon pantalon. Je m'amuse à moduler mon rythme : des pas courts, des longs, des rapides. Je plonge ma main dans la monnaie. Je caresse les pièces, j'imagine qu'elles sont toutes à moi ; je les ai gagnées à la sueur de mon front, j'ai bien travaillé.

Des gens me hèlent, je coupe les rues, je tends le journal aux fenêtres, sur le pas des portes, et je reçois une pièce en échange. Je découvre des lieux nouveaux : des appartements, des bureaux, des commerces. Pendant que mon client cherche son porte-monnaie — ils ne se souviennent jamais de l'endroit où ils l'ont posé — mes yeux scrutent des intérieurs, mon nez capte des odeurs : j'amasse tous ces souvenirs. Je passe de l'agréable au sordide. Parfois, je connais des expériences répugnantes, il faut que je me méfie. Il y a des lieux où je veille à ne pas retourner. Chez le photographe, par exemple, qui ferme sa porte dès que je suis entré et qui se précipite vers la pièce sombre au fond de sa boutique. C'est là qu'il veut me payer. Il m'appelle, j'y vais et je le découvre à moitié nu, l'œil hagard. Je récupère mon journal, je m'enfuis, je l'entends me supplier : « Ne le dis à personne... » Les situations malsaines ou simplement mesquines, ça se passe souvent chez des gens aisés et cultivés. Toujours des histoires de cul. Ça me choque, bien sûr, et j'ai même terriblement peur, parfois. Mais je me dis que c'est la guerre qui a engendré ce malaise. Il faut pardonner et oublier... Chez le pharmacien, c'est un peu différent, j'éprouve un trouble bien réel. Avec une fourberie bienveillante, il m'invite à aller me frotter sur le ventre de son épouse, qui m'attend, le peignoir retroussé jusqu'au nombril. Elle est coquine, prête à tout pour satisfaire son époux ; elle obéit, elle me présente sa poitrine, elle écarte son sexe, elle se trémousse d'avant en arrière, arc-boutée sur des talons hauts. Lorsque j'ai compris ce qu'ils attendaient de moi, je ne me suis pas sauvé, j'étais curieux... Me voilà dans de beaux draps ! Le mari s'énerve, il trouve que sa femme n'en fait pas assez pour m'aguicher ; il la couvre d'injures ; elle se démène de plus belle sur la paillasse, elle se redresse ; soudain, elle plonge ses deux mains dans mon short, et empoigne bien trop brutalement ce qu'elle y trouve. Elle me fait mal. L'époux prend mon cri de douleur pour une expression de plaisir ! Il se raidit avec un rire sec, aigu. Ses mains s'agitent sous sa blouse blanche. Si la polissonne n'était pas belle... Je reste pour reluquer ses méchants yeux noirs, bouleversants et pathétiques dans la quête de l'ivresse ; je reste pour sa bouche charnue et humide, qui mord bizarrement le vide. Ça l'amuse de me voir réagir si facilement. Elle sourit, satisfaite, elle ferme les yeux... *Rajel !* Tu es un homme, dit-elle. Elle m'émeut, elle est en manque, elle se réjouit. Il crie ; elle me suce. Ce n'est que la deuxième fois que je viens leur vendre le journal, mais ils avaient déjà tout prévu : ils m'attendaient. Ils travaillent en blouse blanche, ils ont les ongles faits, ils se brossent les dents à la pâte en tube, ils sont instruits ; ils savent qu'un enfant ça ne répète rien, ça culpabilise et ça se tait. Voilà pourquoi c'est moi et pas un grand qu'ils ont choisi pour assouvir leur vice. Un grand, il tire son coup, puis il s'en va raconter son exploit à tout le quartier. C'est une histoire à se faire lapider. Le couple le sait. Prudemment, ils m'ont élu, moi, un petit naïf, mais qui semble déjà gaillard. Lui, il ne s'emballe que s'il voit un autre homme besogner sur le ventre merveilleux de sa femme. Alors il bondit, excité, il la retourne brutalement alors qu'elle palpitait en pleine extase ; il lui gâche le plaisir qu'elle prenait à me caresser ; il est jaloux ; il la fait mettre à genoux, les mains à plat sur la paillasse. Avec un sourire obséquieux qui implore, il me l'offre en levrette. Elle a des fesses mafflues et blanches, un grain de beauté sur la gauche ; l'élastique de son slip les griffe ; elle a le poil pubien dense jusqu'au coccyx. Au moment où le mari lui arrache son peignoir, j'en profite pour me carapater, sans oublier ma pile de journaux. Il va certainement la traiter de bonne à rien, d'incapable, la battre peut-être ?

Dehors, je retrouve la rumeur et l'agitation qui me ravissent. Les gens m'amusent. Au fond, ils n'ont que deux préoccupations : trouver de quoi bouffer avant la nuit et, une fois la nuit venue, baiser... Voilà où vont les hommes qui s'affairent autour de moi. Et les femmes ? Elles attendent que leurs hommes rapportent la pâtée pour la marmaille avant la nuit et, la nuit, qu'ils les baisent.

Je suis dans la même situation qu'eux, aussi mesquine, mais la perspective ne m'effraie pas, elle me ferait même rigoler...

Ce qui est agréable dans mon errance, c'est que je peux passer du temps avec les clients qui m'autorisent à m'asseoir près d'eux et à les regarder travailler. Ils savent qui je suis. Il y a Messaoud, l'opticien, qui porte des lunettes rondes aux verres épais et à la monture pleine de colle. Il chasse le chat qui ronronne du tabouret et m'invite à prendre sa place. Je suis son spectateur ; personne ne s'attarde à sa table ; le client essaie ses nouvelles lunettes, paie ou rouspète, et s'en va sans lui dire un mot. Il ne les accompagne jamais jusqu'à la porte ; il aime les entendre jurer après s'être cogné salement le front contre le madrier en biais de l'entrée, hi ! hi ! L'ongle de son pouce gauche lui sert de butée, de grattoir. Il est rongé, la corne est toute noire. Il manipule des vis minuscules qui brillent entre ses doigts comme des pierres précieuses. Il les humecte avec sa salive, elles s'aimantent sur le bout de son index, il les enfile de part et d'autre de la monture. Les tournevis sont fins comme des aiguilles, ils glissent de ses doigts. Il en saisit un, ouvre grand sa bouche et souffle une chaude bouffée sur l'instrument ; la buée l'aide ; il visse, serre délicatement la jointure ; la vis, trop longue, dépasse. Dorénavant, Messaoud ne lime plus le pas de vis qui déborde ; chez l'opticien juif qui est parti en France, il a récupéré une meule. Au contact de la surface abrasive, la vis provoque des gerbes d'étincelles rouges. Une poussière âcre très fine imprègne les narines et se dépose au fond de la bouche. Messaoud me donne envie de travailler comme lui, de connaître le nom de tous les outils, de tous les instruments, de les répertorier, de les ranger à leur place, de nettoyer l'établi, de servir les clients, de me sentir utile, chez moi. Les lunettes de Messaoud sont moches ; elles lui font des yeux énormes. En plus, il a des calots qui pleurent en permanence et ses cils sont toujours visqueux. Il me montre comment dans un grand verre convexe il découpe deux formats de lunettes pour enfants, hi ! hi ! Il frotte ses mains moites ; il compte les œufs dans le cul de la poule.

Le papier à lettres de Mme Mjahdia n'est pas quadrillé. Pourtant les mots qu'elle écrit dessus sont bien alignés sur toute la largeur de la page. À la fin d'une phrase, après chaque point, elle relève le front avec un rictus de contentement au coin de la bouche ; elle se félicite d'avoir trouvé la formule juste, le mot adéquat, qui soutient le rythme de la lecture ; elle s'applaudirait presque. En tant qu'écrivain public, Mme Mjahdia ne se laisse jamais émouvoir par le sujet qu'on lui confie ; elle ne pose pas de questions ; elle s'en fiche bigrement ! Parfois je me dis que je n'aimerais pas être à sa place. Je la trouve même excessive : les larmes de l'analphabète ne l'émeuvent pas ; il n'y a que son écriture, son style qui l'intéressent. Elle n'est ni rassurante, ni compatissante. Des fois, elle est pleine de doutes même pour une virgule... Ce n'est pas le drame qu'elle vient de transcrire qui immobilise sa plume sur la feuille, c'est le choix crucial entre une virgule, un point-virgule ou un point qui la préoccupe. Mais, en fait, ce silence joue pour elle : l'analphabète croit que Mme Mjahdia partage son malheur et qu'elle en est tellement affectée qu'elle ne trouve pas les mots pour le traduire ; on ne l'en aime que davantage. En général, ce sont les épouses de travailleurs émigrés en France qui font appel à ses services. Les maris les ont oubliées ; ils n'en-voient plus de courrier, encore moins de mandat. Ces jeunes femmes ont honte et n'osent pas se confier à un membre de la famille qui pourrait rédiger leurs lettres pleines de plaintes. La nouvelle de leur déchéance se répandrait, alors elles préfèrent payer Mme Mjahdia. L'épouse débarque, suivie de sa marmaille ; il y a toujours un gosse qui pleure, car il sait que sa mère va pleurer. — Dis-lui que les enfants ont repris l'école... Qu'il leur faut des stylos et des cahiers... des chaussures neuves comme les autres... Que je suis tombée malade à cause de tous mes soucis... Que je mens pour le protéger et me préserver du qu'en-dira-t-on... Et des sanglots, que de sanglots, de la mère ou du dernier-né. Mme Mjahdia arrange les lettres avec les larmes qu'il faut pour secouer l'émigré muet ; si elle osait, elle ajouterait des « snif ! snif ! » à la fin des phrases. Dans sa France qui lui donne quarante-cinq francs par kilomètre de route éventrée au marteau piqueur, l'époux fait la sourde oreille. Il a plein de choses à payer : sa pitance, son loyer au marchand de sommeil, son autobus, sa Valstar rouge du soir qui fait dormir, sa dîme patriotique au FLN, la pute à quinze francs la quinzaine... Mme Mjahdia n'est pas chère ; elle fait payer le prix de deux timbres-poste par courrier ; elle en colle un sur l'enveloppe à poster, l'autre va dans ses poches et au revoir m'sieurs-dames !

Elle me laissait m'asseoir près d'elle et me flanquait sous la table un coup de pied sur le tibia pour me prier de m'en aller quand venait le tour de certains énergumènes ; c'était un sujet délicat à traiter devant témoin. Je comprenais ; elle devait en trimbaler, Mme Mjahdia, de l'horrible, du sordide, du glauque... Un jour où je me levais spontanément à l'entrée d'un individu qu'il m'était d'habitude interdit d'écouter, elle me fit un clin d'œil discret et complice qui m'autorisait à rester. L'illettré était un corbeau ! Ma présence ne le gênait guère, il balança, en frottant d'aise ses mains rugueuses :

— Le juge Miloud préfère les hommes ! Hi ! Hi !

— Assieds-toi ! Assieds-toi ! le calma Mme Mjahdia, qui ne salua même pas son arrivée.

Assis, il répéta la même phrase, tellement il était pressé de la voir écrite. Ce n'était pas un va-nu-pieds ; sa djellaba de Sétif et son pot de fleurs rouge retourné sur la tête lui donnaient fière allure. Alors que Mme Mjahdia découpait aux ciseaux les mots du journal qui allaient composer sa phrase, le bougre, sans se soucier de nous, se réjouissait déjà de l'effet de sa dénonciation.

— Je veux trois exemplaires, trois, Lalla Mjahdia !

Mme Mjahdia est plus vieille que ma mère. Ses foulards aux couleurs vives sont plus chics ; elle en porte toujours un noué à l'orientale sur la tête et l'autre, aux tons plus nuancés, autour du cou. Son travail lui rapporte ; elle s'agite dans le cliquetis des bijoux qui ornent ses poignets ; elle a deux dents en or dans la mâchoire supérieure. Lorsqu'un client vante sa mise élégante, elle répond qu'elle l'échangerait volontiers contre une meilleure santé. Elle reçoit dans la cour de sa maison, tandis que les clients attendent leur tour à l'extérieur. Elle écrit les deux langues, l'arabe et le français, sur une table en formica jaune vif. Elle ouvre son dictionnaire comme un médecin son Vidal, à la recherche du terme administratif précis qui renforcera la plainte de celui qui pense avoir été grugé par l'État et qui gémit devant elle. Mme Mjahdia est petite et ronde. Son gros cul déborde de la chaise. Elle a d'énormes pieds, chaussés de larges mules confectionnées exprès pour elle. Le mari de Mme Mjahdia est plus vieux qu'elle ; sa seule activité est d'aller prier à la mosquée. On l'a forcée à l'épouser parce que son premier mari l'avait trouvée déflorée et l'avait répudiée dès la nuit de noces. Seul ce vieux foutriquet, qui aime se perdre dans les rondeurs, l'a acceptée. Mme Mjahdia aime ça aussi : elle choisit ses amants parmi les mâles grands, forts et jeunes qui font appel à elle. À ceux-là elle demande de revenir le soir, la tête reposée. Au sourire qu'elle lui adresse, le malheureux sait qu'il va économiser deux timbres-poste au prix d'une gâterie !

L'imprimeur aux doigts bleus, au rire facile et plein de jovialité, ne cesse de critiquer la une de mes journaux, chaque jour, quand je pose le pli sur son établi. Il regarde la feuille et s'écrie : « C'est du travail salopé ! » Lui, Antar, la une il la disposerait autrement. D'abord, il s'interdirait de mettre sous presse les photographies floues ! « C'est inouï qu'on laisse faire ça ! Le caractère des lettres est fade, pas assez nuancé... » Bref, Antar me refait sa une à lui, sans oublier de noter les fautes d'orthographe. J'aime le voir en colère, prêt à tordre comme un torchon le journal qu'il ne m'a pas encore payé. L'odeur de l'ammoniaque, piquante et gazeuse, lui monte à la tête. Le nouvel État lui a offert un poste haut placé dans l'administration de la wilaya. Il a refusé... « Je n'ai pas fait tout ce que j'ai fait pour une quelconque amélioration de ma condition... Je ne suis qu'un lansquenet... » Il les a envoyés se faire foutre avec leurs médailles. Ils ne l'ont pas trouvé bon récipiendaire... Refuser une distinction ! À moi, Antar a expliqué les raisons : « Cette médaille me rappellerait chaque jour certaines choses terribles. » Durant la guerre, Antar imprimait les tracts révolutionnaires. Il était suivi, surveillé par les Français ; les moudjahidin l'attendaient dans l'imprimerie clandestine, à la frontière du Maroc. Une nuit, il refusa de faire tourner la machine : le papier récupéré par les moudjahidin était le même que celui qu'Antar avait dans son atelier... On alla cambrioler une imprimerie marocaine, à Oujda ; parti avec les révolutionnaires, Antar en avait profité pour voler une Olympia ; il me l'a montrée, presque neuve.

Râblé, trapu comme une borne, Antar ne sort jamais sans un foulard ou un col roulé pour cacher son cou, même sous nos chaleurs ; son corps est couvert de boutons rouges et de plaques craquelées. Il dit que cela résulte du choc des séances de torture qu'il a subies dans les caves de la caserne française. Il a essayé toutes les pommades ; il s'est baigné dans l'eau chaude et salée de Hammam Boughrara ; on lui a conseillé d'aller se faire soigner en France... Là-bas, ils auraient des bains d'encre... « La baignoire, l'encre, je connais !... » Il éclate de rire ; je n'ai pas saisi. Il me laisse taper sur les touches rondes de l'Olympia... j'écris mon nom... Il me dit que je suis courageux ; je n'ai pas peur des mots ! Il y a des gens qui en auraient peur ? Il ne m'explique pas... Je lui demande. « Les gens qui ont peur des mots ont peur d'eux-mêmes », me dit-il... Il éclate de rire... « Les mots, c'est de l'argent, de la caillasse ! » Il crie ! C'est l'ammoniaque, dans cette carrée aveugle ; la porte est toujours fermée ; il va de bécane en bécane ; il règle, il mesure, il compte, il huile, il essuie, il ravitaille, du papier, de l'encre, il corrige... J'aime le bruit sourd des machines ; quand il est au bout de la pièce, je n'entends pas ce qu'il me dit. Lorsque, las de gigoter et d'attendre les factures qu'on ne lui a pas payées, il s'assied devant un café froid, allume une cigarette, les mains moites et bleues, et balance cette phrase, avec regret, en secouant la tête, cette phrase que j'adore :

— Putain, j'aurais dû l'accepter, leur médaille à la con !...

Et ses épaules s'affaissent.

Rien ne compte plus à mes yeux, et à mon cœur, que ma mère. Car c'est la femme de ma vie... Sa beauté me fascine ; son corps gracile a été privé de soin et d'attention, il possède néanmoins une grâce exceptionnelle. Elle regarde les autres rire et vivre avec des yeux effarés. Elle attend, les jambes croisées. La peau de ses mains tatouées est déjà distendue, à cause de la mauvaise lessive qu'elle utilise. Elle ne mange pratiquement rien, dans notre misérable cambuse, et laisse le peu de nourriture que l'on a à ses enfants.

Les nouvelles autorités ont créé une section de jeunes scouts, dont le programme me plaît : excursion, musique, sport, défilé. Je suis allé m'inscrire : mais il faut vingt-cinq francs pour les frais d'uniforme, et c'est tout à fait impossible pour moi. Dépité, je suis retourné à la rivière, sans rien dire à ma mère. Elle aurait été malheureuse de me voir si triste. C'est ainsi que je la protège, je ne mentionne même pas ce désir d'escapade. Je suis trop heureux de lui donner l'argent que je gagne avec la vente des journaux. J'erre sur la route de Tlemcen ; une jeep de militaires s'arrête à ma hauteur ; leur chef me demande ce que je fais là, étant entendu qu'à mon âge on ne traîne pas sous un soleil aussi accablant, à l'heure de la sieste... Je fais semblant de retourner vers le village pour qu'ils me fichent la paix. J'entre dans la mosquée ; j'étanche une soif énorme ; l'eau est fraîche ; je m'assieds à l'ombre, sur le carrelage. J'écoute psalmodier les sourates en chœur. Les élèves de la classe coranique quittent leur cours, l'ardoise sous le bras ; ils sont contents et fiers. Je ne sais pas écrire l'arabe, on ne m'a pas demandé de l'apprendre ; l'ascète faqih qui leur enseigne la Loi aurait, dit-on, le coup de bâton facile ; je me félicite d'être dans la rue. C'est merveilleux : je suis au-dessus des autres, au-delà... Je les observe depuis le ras du sol... Eux, ils ont beau être debout, ils me paraissent tout petits, avec leurs combines minables et leurs misérables passions... Moi, le bon Dieu me connaît, je Lui ai dit qu'une fois devenu grand je ne jeûnerai pas pour le ramadan, je ne mettrai pas les pieds à la mosquée, je ne lirai pas le

Saint Livre... Que je le lise ou pas, le Livre, Il s'en fiche : ce n'est pas Lui qui l'a écrit. Que je jeûne ou pas, idem : Il préfère que je pense à moi plutôt qu'à Lui — qui n'a besoin de rien — ou que je vienne Lui causer dans une mosquée ! Il m'a dit qu'Il était en moi, que je n'avais pas besoin de me déplacer pour Lui parler. La mosquée aussi est en moi ; celle en pierre est faite pour les fanfarons, ceux qui veulent surtout qu'on les voie entrer là. Tout est en moi, m'a-t-Il dit. Là, je n'ai pas bien compris. Mais c'est gênant de Le savoir en moi, tout le temps, surtout lorsque j'ai envie de me branler. Ça me refroidit... Tant que je ne sais pas ce qu'Il fait en moi, je continue d'aller à la gare pour attendre le train qui apporte mes journaux.

Mon oncle, le frère de ma mère, a tapé dans les économies de la pension de guerre du défunt mari de Hanna et s'est acheté un cheval à crédit : chouette lubie ! Un alezan magnifique qu'il dresse pour les fantasias. Ma mère a beaucoup ri : « Demande à un pauvre ce qu'il désire le plus, il te répondra une bague ! » Hanna était satisfaite que sa fille, maman, ait dit ça avec beaucoup d'émotion ; elles se sont regardées : elles avaient le même sourire. Comme je ne comprenais pas, ma mère a ajouté : « Un jour tu sauras que l'enfant est prince. » On verra ! Mon oncle a dit que chaque fois qu'il ferait une démonstration dans une noce, il serait payé : il va gagner beaucoup d'argent. Il a déjà le fusil, celui que grand-père a rapporté de sa guerre avec la France ; les cartouches coûtent bonbon. Une fantasia sans coup de feu ? Mon oncle rit et, quand il rit, sa sœur, maman, rit encore plus fort que lui... Ma mère a deux sœurs. Tant qu'elles vivaient chez leur mère, toutes les trois ont été au service de ce grand frère. Mon oncle était leur dieu. Il n'a jamais rien fait lui-même : ni porté une cruche pleine, ni soulevé un fagot, il n'a jamais déplacé un gros caillou, ni conduit le bétail ; pour toutes ces tâches, ses sœurs attentives le précédaient. Mon oncle est un bel homme, imposant, il a une figure honnête cuivrée par le soleil ; ses yeux noirs luisent comme une pinte de khôl et le rendent séduisant ; sa franche gaieté fait le reste... C'est le seul homme que je connaisse qui a pris la misère à contre-pied ; mon oncle, il fait la nique au malheur ; lorsqu'il l'aperçoit de loin qui s'approche dans son long manteau noir en loques, semblable aux ailes d'une chauve-souris, dans la poussière, il se débrouille toujours pour dénicher un sou quelque part et pour se payer un peu de bon temps : du tabac à chiquer, un bain au hammam, une demi-douzaine de cartouches...

J'ai croisé... comment s'appelle-t-il déjà ? Je n'ai pas oublié son nom, non, c'est seulement que je suis tenaillé par la faim... Ah ! Oui, Lahcen, notre clodo intello, celui qui trimballe des tonnes de journaux et de revues qui débordent de sa gibecière. Il veut que je lui donne un vrai journal, un tout neuf. Il le convoite comme moi un casse-croûte au beurre et au sucre ; il me suit et me harcèle. Ce n'est pas la première fois. Il a beau avoir dix fois l'âge de mon père, je ne le respecte pas. Il m'agace avec ses yeux de pauvre et sa main aux longs doigts qui mendie ; je l'envoie se faire foutre, je suis grand maintenant. Il arrive un moment où nous, les pauvres, on ne devrait plus l'être ! Car notre seule présence dérange les gens, ils ne veulent plus nous voir : et ça se retourne contre nous. C'est ce que je constate devant Lahcen et devant tous ceux qui veulent le journal tout de suite mais ne pourront le payer que le lendemain... Ils me prennent pour un débile ! Je ne devrais même pas lui donner les invendus, en fin de semaine, à Lahcen !... Il n'a qu'à les lire moins vite. De toute façon, je n'ai aucune raison d'être gentil avec lui ; quand je lui ai demandé comment il était devenu fou, il ne m'a pas répondu, alors ! J'ai insisté, je voulais vraiment savoir, vu que la folie m'a toujours fait peur... Monsieur a juste détourné la tête, un long moment, et quand son regard de pauvre merdique s'est tourné vers moi en suppliant, j'ai constaté qu'il pleurait... Une autre fois, je lui ai redemandé, et il m'a répondu : « Je ne suis pas fou ! » J'ai désigné ses pieds emmitouflés dans de vieux journaux maintenus par de la ficelle : « C'est un accoutrement normal, ça ? » J'ai laissé tomber. Si je le ridiculisais en public, je craignais qu'il ne se remette à pleurer sa mère. Personne n'aime les pauvres. Et ils ne s'aiment pas non plus entre eux... L'autre jour, je l'ai traité de kiosque ambulant. Il n'a pas compris : en plus des journaux aux pieds, il en avait un sur la tête en guise de chapeau !

Ma mère, mes frères et moi, nous sommes allés dans notre reg ancestral rejoindre tous les Charef réunis autour d'une triste affaire. Dans le souk, un des nôtres avait été traité irrespectueusement par un citadin « chaussures-chemise ». Comme ce dernier lui reprochait de s'installer à un endroit non autorisé pour vendre ses légumes, il lui avait tout simplement répondu par un coup de gourdin sur la tempe. Le citadin était mort. Sa famille demandait vengeance et exigeait qu'on lui livrât le tueur. On leur avait fait savoir qu'il s'était enfui vers le Maroc. « Un autre ! un autre ! avaient-ils réclamé. Du même âge, pas un vieillard au bord du trépas ! » Chez nous, personne ne s'était avancé, ni n'avait proposé son fils... Nos anciens ont donc décidé d'offrir du bétail et de l'argent pour satisfaire les plaignants. Le bétail était là, mais il restait à réunir le liquide. On a ordonné à toutes les femmes du clan dont le mari avait émigré en France — ma mère en faisait partie — de demander rapidement par télégramme un mandat. J'imaginais d'ici la tête renfrognée de nos ouvriers de banlieue : délestés de leurs économies, ils devraient se priver de Valstar et de putes... Le frère de mon père, lui, ne comprenait pas, mais alors pas du tout, pourquoi la famille du mort nous réclamait un homme en guise de vengeance. « Nous, à leur place, on aurait investi leur douar, *manu militari*, on se serait vengés et on serait rentrés chez nous : comme le veut la coutume et sans palabre. Ils ne pensent qu'à l'argent ! » a-t-il conclu. Il est aussi cinglé que moi, et je l'admire pour cela.

De tous les enfants, j'étais le seul à savoir où se cachait Abdelbaki, l'assassin au gourdin. Ma mère connaissait la cachette. Tous les adultes, hormis les simples d'esprit, la connaissaient. Ma mère me l'avait soufflée à l'oreille. Elle ne l'aurait dévoilé à personne. Mais elle savait que le sens de la famille coulait dans mes veines, contrairement aux autres enfants, même plus grands que moi. Elle-même s'en était vantée un jour devant mon oncle, en ma présence. Elle ne serait pas surprise que je devienne le patriarche du clan quand j'en aurais l'âge ! Je suis allé rendre visite à Abdelbaki, qui se cache dans une fosse à blé abandonnée, qui sert de refuge aux reptiles. D'emblée je lui ai demandé :

— C'est vrai que tu l'as tué d'un seul coup ?

Il s'est redressé et m'a montré le gourdin : un long bâton solide avec un gros bout arrondi. Si Abdelbaki n'avait pas louché, il aurait eu l'allure d'un jeune premier de film de cow-boys. Mais il se prenait vraiment trop au sérieux : il a haussé les épaules comiquement, il m'a toisé. Il a baissé dans mon estime. Moi, à sa place, je l'aurais joué profil bas : ainsi, le héros force encore plus l'admiration. Quant au citadin mort... Chez nous, dans le désert de cailloux, on méprisait ceux qui se proclamaient issus de la race élue et privilégiée. À l'inverse, on nous transmettait plutôt une sorte de pudeur naturelle. (Je me souviens de ce Kabyle aux yeux bleus, un voyageur marchand qui, de passage par ici, s'était vanté d'appartenir au peuple élu et qui avait failli mourir sous les coups de bâton ! Il n'avait eu la vie sauve qu'à force de supplications...)

Mon patron n'est pas content du tout du marabout Mbami. Moi non plus. Ce n'est pas que je ne l'aime pas — j'aurais trop peur de dire ça, car je sais qu'il peut lire dans mes pensées et me jeter un mauvais sort. Mais, honnêtement, ce n'est pas bien qu'il mette autant de temps à payer les journaux que je lui ai vendus. Au premier pli impayé, j'ai attiré l'attention de mon patron. La deuxième fois, j'ai donné le journal à son employée, Kahla, et je l'ai attendu dans la cour avec tous les tarés qui croient à ses bobards. Entre deux consultations, je me suis faufilé dans son atelier et j'ai réclamé l'argent. Il m'a renvoyé avec mépris : soi-disant qu'en parlant d'argent chez lui je profanais un lieu sacré ! Dégoûté, j'ai renoncé à lui livrer la presse. Mon patron m'a demandé d'être patient et de continuer à servir le marabout. Évidemment, les dettes se sont accumulées ! Alors, mon patron, en colère contre Mbami, m'a ordonné de retourner le voir pour me faire payer.

Je suis assis dans le couloir, à l'abri du soleil. Entre la cour et le repaire du marabout, Kahla accueille les patients et commence par les soulager de leurs dons : pain de sucre, bouteille d'huile, poulet... Elle stocke tout ça dans une pièce qu'elle tient fermée à clé. Elle revient s'asseoir à côté de moi ; elle est noire, jeune mais déjà voûtée. Dans la poche centrale de son tablier j'entends un cliquetis métallique. Dans ce couloir, à contre-jour, Kahla ressemble à un fantôme. Elle a des yeux vides, de grosses lèvres. Elle suçote une allumette avec laquelle elle se cure les dents ; la plante de ses pieds est claire et ses talons couverts de grosses entailles. Elle observe mes journaux et me dit :

— Tu sais lire ?

— Oui.

Elle se détourne et va accueillir un nouvel ensorcelé qui lui tend un sac plein d'œufs. Une odeur d'encens âcre et brûlante s'échappe de l'antre du marabout. Derrière le rideau qui nous sépare de son cabinet, j'entends deux familles qui pleurent, et parfois hurlent. Le marabout tente de les calmer. D'après ce que je crois comprendre, il s'agit d'une histoire de lesbiennes. J'écarte discrètement l'épais rideau, taillé dans une couverture militaire récupérée on ne sait où, et je découvre le large visage hâlé de Mbami, qui est un homme rempli de certitudes et de curiosités. Autour du front, il porte un foulard. Avec un éventail en feuilles de bambou, il disperse les volutes de fumée qui montent de deux kanouns. De dos, je distingue deux femmes voilées assises jambes croisées sur la natte ; à côté d'elles, deux jeunes filles de profil ; ce sont elles qui pleurent et qui sanglotent. Elles ont les yeux rouges, le nez qui coule. Elles répondent aux questions indiscrètes, tranquillement. La première, qui porte des lunettes de vue, récapitule pour sa mère :

— C'est plus fort que moi !... J'ai beau essayer de me retenir, de me raisonner, rien n'y fait. Une force supérieure me pousse ! Je succombe, désespérée et en larmes, dans les bras de Farida !

Farida, l'autre jeune fille, qui n'est pas voilée, elle aussi est effondrée, à côté de sa mère. Les deux adolescentes se prennent les mains et implorent en chœur le marabout :

— Guéris-nous, Si Mbami !

Il essaie de les calmer en levant les mains.

— Et toi ?

Farida baisse les yeux, elle met ses mains sur sa tête.

— Je ne pense qu'à elle, nuit et jour, je ne sais pas pourquoi. Maman, j'ai peur ! C'est seulement quand je sens son corps contre moi que mes angoisses s'apaisent...

Elle lève les yeux, fixe ce malandrin de Mbami, regarde les deux mères et conclut, affolée :

— On dirait que je... que je l'aime !

Elle se frappe le visage ; sa mère l'arrête. Farida se jette sur sa compagne, la serre dans ses bras.

— Ce n'est pas notre faute ! On a été ensorcelées !

Elles s'étreignent. Les mères sanglotent. Le

marabout, qui en a vu et entendu d'autres, a l'œil qui brille. L'une des mères, bien que bouleversée par le drame, paraît moins niaise que l'autre. Méfiante, elle demande :

— Si l'on ne vous avait pas surprises toutes les deux nues, le visage enfoui dans les cuisses l'une de l'autre, et possédées par le démon, vous vous seriez dénoncées ?

— Sûr, maman, et comment ! Mais nous n'osions pas, notre malheur était trop grand, nous ne voulions pas vous éclabousser de honte !

— Nous sommes soulagées d'avoir été découvertes ! reprend Farida, finaude.

Pour ne pas se trahir, elle se garde bien d'ôter ses mains tremblantes de son visage...

Le malandrin souffle sur ses deux kanouns et jure :

— Je m'en vais vous l'évacuer comme il faut, ce djinn d'enfer qui vous ronge l'âme, pervertit votre esprit et enflamme vos corps purs ! Parole de Si Mbami Youssef Ould Hadjzahir !

L'épaisse fumée bleue s'élève en volutes. Il flotte une odeur âcre et un goût de cendre imprègne le palais. Le marabout se redresse. Il pose ses mains sur la tête des filles en pleurs, et leur met de la braise sous le nez. Elles grimacent et clignent des yeux. Il les a recouvertes d'un long voile sombre et épais, qui empêche la fumée de s'échapper. Le marabout a l'œil perçant. Il est sûr de son coup et jubile ; il joint les mains et récite quelques formules dans sa barbe... Les deux donzelles sont au bord de l'asphyxie, elles chancellent, s'agrippent à leur voile. Elles se mettent à tousser et vlan ! La première tombe à la renverse et vomit abondamment. Farida ne tarde pas à l'imiter. Elle rejette tout ce qu'elle a dans l'estomac... Elles rendent leur poignante histoire d'amour, les larmes coulent sur leurs joues écarlates. Mbami lève les bras, triomphant, et remercie les esprits. Puis il dit aux mères :

— Le démon sort même par le nez ; je fais en sorte de l'évacuer de tous les orifices par lesquels il s'est ingénieusement immiscé pour propager son pouvoir maléfique, et pour régner à la place de la Loi. Écoutez-le gémir, pleurer, contraint de quitter vos filles par la force de l'esprit. Il ne revient jamais sur les lieux de ses défaites. Vos filles sont libérées.

Les mères prient, remercient, glissent des sous sur la natte. Soutenues par leurs mères, les deux amies se redressent, vaincues, un mouchoir sur la bouche, le foulard trempé de larmes. Farida refuse de boire le liquide sirupeux et verdâtre, mélangé à des herbes, que le marabout a versé dans une petite tasse. L'autre boit et crache aussitôt la mixture gluante, dans son mouchoir, avec une grimace diabolique. Le sorcier se lève. Il faut laisser la place. Soulagées, les mères m'enjambent pour sortir. Les deux amoureuses, humiliées et le front bas, suivent l'une derrière l'autre. Elles me frôlent. Au moment où elles passent devant moi, je surprends une belle image : la main de Farida effleure celle de son amie qui s'ouvre alors pour recevoir un billet froissé, un mince message roulé en boule. Je ris. Puis, je me lève et je me présente devant le marabout.

— *Salam*, Si Mbami ! Si Rachid, mon patron, te prie de lui payer tes dettes...

Il m'ignore. Il reprend son souffle, et enfin il me fixe. À son regard vicieux, aux frottements rugueux de ses mains, à son teint rouge d'émotion qui s'éclaircit lentement, je comprends qu'il va essayer de me faire un coup tordu.

— Tu sais où habitent ces deux filles ?

— Je trouverai...

Je suis surpris mais je réponds sans hésiter. Il s'interroge. Je suis sûr qu'il fantasme. Ça m'amuse... Et si je lui arrangeais le coup ?

— Si Mbami, tu ne serais pas le premier à te les échanger au lit !

Il blêmit, il écarquille ses billes de faux jeton ; les bras lui en tombent ; il s'écrie :

— Quoi ?

— C'est Mimoun qui les a initiées à l'amour. Il les enfourchait dans l'orangeraie du colon Perret, ou sous le pont de l'oued Malha ! Mimoun les a draguées à la sortie de l'école, toutes les deux, elles ne se quittent pas. Après le bain au hammam, elles revêtent un haïk qui les camoufle des pieds à la tête et elles s'engouffrent dans l'Aronde de Mimoun qui les attend.

— Les salopes !

— Je te le répète, Si Mbami, je te les ramène quand tu veux !

Il est tout excité, il se voit déjà avec elles.

— Va vite leur glisser un message en douce !

— D'abord les journaux, Si Mbami !

Là, il ne m'aime plus ; il me regarde en biais :

— Combien ?

— Quatre cents.

Il remue l'index de gauche à droite :

— Non, trois cent cinquante...

— Huit à cinquante.

— Sept, l'autre, c'est pour ta poche...

— Mbami, sur ma foi en tes dons si précieux, je t'en ai vendu huit !

Il appelle Kahla ; elle écarte le rideau mollement, comme une vieille.

— Donne-lui quatre cents...

Kahla laisse retomber le rideau et disparaît. Le malandrin se penche vers moi et me dit, le regard complice :

— Dis aux deux *kahbates* qu'elles viennent quand elles veulent, et je protégerai leur relation, à l'insu de tous... Ne suis-je pas le plus respecté et le plus écouté ?... Va vite leur dire !

— Oh ! Comme c'est juste et vrai que tu es notre meilleur...

— Allez, casse-toi ! Casse-toi !

Trois de nos gaillards, ouvriers en France, sont revenus la tête basse et le baluchon sur l'épaule. À peine sortis de l'adolescence, ils étaient partis rejoindre les autres, ceux de notre reg, ceux qui creusaient des tranchées larges et profondes, et qui logeaient dans des baraques enfumées avec l'espoir de réunir un pécule assez important pour se faire construire une maison. Respectant les ordres de mon grand-père, personne n'est allé les accueillir à la gare. Pas même un porteur de bagages avec un âne. Par des chemins poussiéreux, ils ont contourné le village, évitant les lazzis et l'opprobre. Quand ils sont arrivés au reg dans l'air brûlant, il n'y a pas eu un seul youyou, ni une seule main tendue. Leurs pères, sans même leur laisser le temps d'étreindre leurs mères en larmes, les ont envoyés d'autorité aux travaux des champs ! Voilà comment on reçoit une progéniture malhabile dont le voyage a coûté le prix d'une vache et de son veau, et qui rentre les poches vides... Et si ce n'était que ça ! Tous trois sortaient de prison... En métropole, ils avaient été incarcérés durant quatre ans ; une sombre histoire de sac à main... qu'un dimanche après-midi l'un des trois aurait voulu voler à une vieille femme de la Maison de Nanterre qui cuvait allongée de tout son long sous un abribus. Ce n'était pas le contenu du sac que lorgnait ce dadais de cousin. On imagine bien qu'une vieille ivrogne mutilée, mafflue, dans un uniforme bleu épais, à deux pas de l'hospice, dans des odeurs rances d'urine et de mauvais vin, ça ne roule pas sur l'or ! C'était le look du sac qui l'intéressait : il était neuf, de couleur carmin, en skaï brillant. « Il ira bien à ma sœur ! » Les deux autres n'avaient rien pu faire pour le dissuader ; il s'était penché sur la pauvre femme et à peine sa main avait-elle touché la poignée du sac qu'un badaud qui épiait le trio coupable avait donné l'alerte. Au lieu de prendre leurs jambes à leur cou, nos trois cousins avaient haussé les épaules, ils avaient joué aux fiers-à-bras : un vulgaire sac à main, vraiment, ils étaient au-dessus de ça ! Ils avaient esquissé un sourire forcé comme de braves innocents, ils avaient essayé la tchatche... Une estafette de police passait par là. La guerre d'Algérie était dans sa phase la plus dure ! Et, cerise sur le gâteau, Abdelkrim, le jeune frère de papa, était arrivé en courant, essoufflé, rouge de colère, le front trempé. Il sortait du cinéma des Quatre-Chemins. Il avait aperçu le bruyant attroupement. Au milieu, il avait reconnu ses trois cousins que les gendarmes faisaient monter dans le fourgon à coups de matraque. Il avait foncé dans le tas. Il ne voulait rien savoir, seulement défendre ceux qu'on battait. C'était un monstre, mon oncle, une force de la nature ! S'il voulait, il pouvait manier deux marteaux piqueurs à la fois ! Alors quatre pandores... il pouvait les retourner comme une crêpe avec leur fourgon ! Il n'avait pas les foies... Il était enragé contre le mépris et l'injustice... Une autre fournée de flics arrivait ; il les insulta en arabe... Ils le tabassèrent jusqu'à ce qu'il soit K.-O. ; on l'embarqua avec les autres. Il s'en fichait, il était avec les siens. De toute façon il ne risquait rien, il était au cinéma à l'heure du forfait. Au tribunal, ils furent tous les quatre condamnés à une peine de quatre ans de prison ferme. Abdelkrim ne réussit jamais à convaincre qui que ce soit — ni pandore ni juge — qu'il sortait du cinéma. On lui demanda à maintes reprises le ticket de caisse ;

il croyait l'avoir gardé sur lui ; il avait vidé et retourné ses poches mais n'avait pas retrouvé cette preuve de son innocence ; on ne lui laissa pas non plus la possibilité de faire citer à la barre les témoins qu'il avait croisés au cinéma : c'étaient tous des Arabes.

Je ne vous ai pas raconté tout ça pour que vous ayez mes cousins à la bonne, ils peuvent aller se faire voir, eux aussi, vu tout l'argent et l'espoir qu'on avait misés sur eux ! Ce sont des bons à rien : ils sont rentrés bredouilles et ont attiré la honte sur nous. Mais c'est la fin de l'histoire avec ces cousins qui est intéressante.

Après avoir purgé leur peine, ils ont été expulsés de France. Les trois premiers sont rentrés au reg aussitôt. Abdelkrim, celui qui avait clamé haut et fort son innocence, était honteux de rentrer encore plus pauvre que le jour du départ. C'est pourquoi, à peine débarqué du bateau, il a décidé de rester à Oran. Toute la journée, il a erré dans la capitale de l'Ouest. Le soir, avec la somme qu'on lui avait allouée à la sortie de prison, il a pris une chambre dans un petit hôtel. Las, il s'est déshabillé lentement au bord du lit. Il était toujours furieux et inquiet. Il portait les mêmes habits que le jour de son arrestation, puisqu'en prison il avait un uniforme, un bleu de travail. Ses vêtements civils, il les avait récupérés l'avant-veille, en quittant sa cellule, mais il était serré dedans, car à force d'inaction il avait grossi. C'est donc avec soulagement qu'il s'en est débarrassé, s'apprêtant à faire sa toilette. Le torse nu, il a défait son pantalon, qui est tombé par terre. Il l'a ramassé et plié sur le dos d'une chaise. En se dirigeant vers le lavabo, il s'est tout à coup arrêté. Un trouble venait de l'assaillir : il ne pouvait plus bouger, il était planté au milieu de la chambre, et son corps s'est mis à trembler. Autour de lui, tout vacillait. Il était tétanisé, en proie à de terribles affres. De sa gorge montaient des sanglots violents, qu'il essayait de ravaler. Il n'osait pas se retourner, baisser les yeux vers ce petit morceau de papier qu'il avait vu tomber de son pantalon. Il avait tout de suite compris ce que c'était, même furtivement. Il n'avait pas le courage de le ramasser : une épouvantable tristesse l'en empêchait. Péniblement, il a tourné la tête. Il était envahi par une puissante angoisse. Il avait perdu quatre ans de sa vie — et à vingt-cinq ans, ça fait beaucoup ! Quatre ans de honte, de dépression, d'injustice et de mépris. Il voulait les oublier. Il ouvrait les vannes. D'énormes larmes coulaient le long de son menton. Par terre, sur le sol carrelé de zelliges cassés, entre ses jambes, tombé d'on ne sait où, il y avait un ticket de cinéma...

Ma mère nous a amenés chez le coiffeur, mes frères et moi. Elle reste assise dans un coin, sur un tabouret, enveloppée jusqu'aux yeux dans son haïk blanc, et s'assure qu'on coupe nos tignasses à ras, histoire de ne pas revenir trop souvent et dépenser tout son argent. Elle craint qu'en nous laissant seuls aux mains du coiffeur il ne se contente d'un léger coup de ciseaux sur les pointes pour nous revoir rapidement.

Ensuite, on frotte nos corps à la pierre ponce et on nous rince énergiquement avec l'eau du bac de la cour. Ma mère nous apprête le mieux possible, comme pour les fêtes de l'Aïd ou la rentrée scolaire. Et en route pour la photographie.

Dans sa dernière lettre, notre père a écrit que nous lui manquons. Il réclame une photo... Ma mère dit qu'il ne nous reconnaîtra pas, tellement on a grandi. Elle pouffe, moqueuse. Le photographe est vraiment moche : grand, sec, étriqué, le teint gris, des croûtes sur les paupières. S'il se prenait en photo, il en voudrait à son appareil ! Il nous trouve parfaits, alignés les uns à côté des autres, ma mère au milieu, avec au fond une feuille bleue collée au mur. Il regarde dans l'œilleton de l'appareil photo installé au milieu du studio. On se serre, on se tient bien droits. Ma mère se permet même d'ôter son foulard devant cet homme. C'est la première fois que je vois sa chevelure luxuriante, légèrement bouclée sur le front, en dehors de la maison... C'est pour mon père : elle est émue. Je le suis moi aussi maintenant que j'ai surpris son émotion sur son visage ferme et lisse, aux pommettes saillantes et au front tatoué. Tout va bien jusqu'à ce que le photographe s'arrête devant nos pieds, l'air gêné. L'un de nous est mal chaussé ? C'est ma mère. Elle desserre sa jolie ceinture, tire sa robe vers le bas. C'est mieux, on voit moins ses espadrilles usées ; le photographe délicat propose d'avancer légèrement son matériel ; il vérifie en fermant un œil sous la bâche noire et déclare :

— Les enfants, cessez de vous moquer de votre maman mais gardez le sourire !

Blop ! Je suis surpris par le flash...

C'est tout ? C'est tout !

Mon pote Abdelrahmane est content pour sa mère. Dorénavant elle va toucher une pension de veuve de guerre, c'est formidable ! Mieux : une fois la nouvelle connue, des prétendants au remariage — des veufs, des bossus, des hommes de son âge — vont rappliquer... Elle n'aura que l'embarras du choix.

Mais, non, je ne voulais pas parler de ça. L'image d'Abdel s'est furtivement imposée à mon esprit à cette heure de la nuit où je m'échappe de la réalité en plongeant dans les songes. Le silence et le noir de la chambre m'angoissent. Ils me rappellent les moments où on entendait les bruits de bottes. Alors, pour me libérer de la peur, je me réfugie dans le sommeil. De toute façon, il faut bien dormir. J'abandonne Abdel le resquilleur, et je retrouve Naïla...

Naïla est mon havre le plus sûr. Je ne rêve

pas d'un monde meilleur, plus riche, plus heureux. Mes joies appartiennent au passé, même malheureux, un passé que j'enjolive, et sur lequel je bâtis un tombeau. Un tombeau ? Un temple plutôt, éblouissant de merveilles, plus somptueux que celui de Salomon ! Naïla et sa famille harkie sont parties vers la frontière — vers la mort ? Elle est le meilleur rempart contre les fantômes qui peuplent mes songes. Ce temple que je construis autour d'elle a de belles colonnes d'ivoire magnifique et un toit en marbre qui réfléchit d'éclatantes arabesques relatant les batailles gagnées par notre Prophète. Hissée sur un piédestal de zelliges aux tons ambre et émeraude, Naïla nue tangue sur mon sexe. Elle me guide vers son délicat bouton rose... Ah ! j'entends ses soupirs ! À peine perceptibles, telle une musique céleste. Je repasse ses images dans ma tête comme d'autres écouteraient des contes merveilleux. Mes doigts effleurent la peau de Naïla brûlante de désir. Sa belle chevelure me chatouille le nez et les joues. Naïla reste mon somnifère le plus efficace. Tant pis si ça m'empêche d'être ambitieux ! Hanna me répète que si l'on désire un présent, il faut rêver avec ardeur qu'on le possède déjà. Mais je n'ai pas ce réflexe salvateur, je ne me maîtrise pas... Mes rêves prennent le dessus sur mes défaites d'hier.

Je ne sais pas si j'éprouve seulement une rancune coriace envers la vie ou s'il y a déjà quelque chose de brisé chez moi. Dis-moi, Hanna, comment se reconstruit-on ?

Je m'endors avec Naïla, toutes les nuits dans mon lit : ce n'est pas rien ! La plus jolie fille du monde !

Je m'endors...

Depuis que maman a dit à ma grand-mère qu'on allait bientôt rejoindre mon père en France, Hanna vient tous les jours à la maison. Pour mon père, vivre sans nous est une épreuve. Nous lui manquons, la décision est prise. Moi, au début, je n'ai rien ressenti, je ne savais pas quel effet ça faisait d'être là-bas. Ensuite, je me suis mis à vivre avec une inquiétude tenace que je trimballais partout. Et la tristesse en prime : quitter Hanna, le reg, ma tribu, Abdel, tout.

J'ai prévenu l'école de mon départ. La maîtresse est ravie pour moi. Elle dit qu'en France il y a des feux verts et rouges qui règlent la circulation, des cabines d'ascenseur dans les maisons très hautes, des trains qui roulent dans les tunnels.

— Ton père habite où ?

Quand j'ai répondu Nanterre, elle était

moins ravie pour moi. Elle m'a regardé comme quelqu'un qui n'a pas de bol.

Mon oncle s'est occupé de tous les papiers pour le voyage. Il pleure à côté de sa sœur, maman, qui plie les affaires dans les valises. Mon oncle a toujours eu la larme facile. Des femmes, oubliées par leurs maris émigrés, viennent donner des messages à ma mère afin qu'elle les remette en main propre aux infidèles. Ces femmes qui tourmentent ma mère finissent par s'en aller en remerciant et en sanglotant. Maman leur prépare du thé. Mon oncle lui interdit de se charger de colis supplémentaires, même petits, pour les aider, parce que le surplus de bagages est payant. Comme nous ne savons pas comment voyager, on s'est arrangés pour partir en même temps qu'un vieux couple, rompu à l'exercice, et qui fait dans le troc d'or. Ma mère est heureuse de quitter la misère. Du moins c'est l'impression qu'elle donne, la plupart du temps. Et puis, pof ! Elle s'effondre en pleurant et attrape la main de Hanna. Dès qu'on la frôle, grand-mère nous embrasse. Je l'observe lorsqu'elle nous étreint, mes frères et moi. Belle comme elle est à son âge, je me dis que maman aura bien de la chance en vieillissant. Voilà, je suis obligé d'abandonner mon enfance derrière moi, et personne ne m'a demandé mon avis ! Ça arrive d'un coup. Abdel n'a pas l'air ému, comme s'il croyait que j'allais revenir la semaine prochaine. Moi, j'ai un sentiment bien différent. J'ai envie d'emporter plein de choses avec moi : tant pis s'il n'y a plus de place pour des choses nouvelles...

En Algérie, à l'école, les colons nous enseignaient l'histoire de notre pays à partir de l'époque où ils l'avaient envahi, comme s'ils avaient été là avant nous. Ils ignoraient nos ancêtres avec un tel mépris ! En France, dans les écoles grises de banlieue, on n'a jamais pensé à nous demander d'où l'on venait. Ils voulaient que j'apprenne leur histoire, mais ils niaient la mienne. Après, ils s'étonnaient qu'en classe je n'existe pas. Nier l'histoire de mon peuple de cette façon ne m'a pas aidé à voir les choses sous un angle positif et à m'épanouir.

Et dire que mon père nous demande de venir le rejoindre dans un endroit où on va continuer à m'ignorer ! Sacré papa !...

Suberf... Subfertu... Subsfer... Susterfu... Sub... Subter... subtef... Subterfuge ! Voilà ! Je n'arrive jamais à prononcer ce mot d'un coup... Subfe... Aïe, merde !

Je suis allé dire adieu à Lahcen, mon clochard préféré, avec tous ses journaux. Je l'ai trouvé en larmes... Tarzan, le clodo pouilleux, avec les couilles à l'air, l'a frappé. Je lui ai dit :

— Il est jaloux de toi, parce que tu sais lire et que tu n'es pas un ivrogne comme lui !

Des sanglots d'enfant. Il m'a dit que Tarzan lui vole ses journaux et chie dedans. Puis il en fait un paquet qu'il va jeter dans la benne à ordures. S'il laisse sa merde contre un mur, les gens le battent !

En quittant Lahcen, je lui ai dit :

— T'es pas fou : je disais ça seulement pour te faire enrager !

Il s'est mis en colère quand même, il préfère

qu'on le prenne pour un fada, comme pour expier d'avoir été humilié par des salauds. Je lui ai offert un journal. Il l'a d'abord reluqué comme si c'était un quignon de pain, puis il s'est précipité au *fendek* pour le lire en paix. Après avoir compté mes sous, j'ai regretté mon cadeau.

Je dis adieu à tous mes clients, les uns après les autres. Mme Mjahdia me souhaite d'obtenir plein de diplômes et de revenir enseigner ici. Tous pensent que j'ai de la chance d'aller me faire voir ailleurs...

J'ai quitté mon dernier client et je retourne vers le kiosque, une pile légère sous le bras. J'en ai gros sur le cœur. Les larmes arrivent par des méandres bien mystérieux... Ça vient du front, ça descend vers les yeux qui se troublent, plus bas ça fait trembler la bouche et claquer les dents. C'est un phénomène qui ne prévient pas : peu importe le contexte, les gens avec lesquels on se trouve. Ce n'est pas une question de pudeur.

Mon patron me félicite. Il est patient, il a un regard bon, un rictus quasi paternel, des traits gracieux, un teint hâlé.

— Tu mérites de sortir de la rue... C'est formidable que tu ailles là-bas !

Il me laisse la moitié des sous que j'ai gagnés aujourd'hui.

— Pour la route !

Le rail, la mer. Après, je ne sais pas...

Hanna ne veut pas nous accompagner à la gare. Elle dit que ça la brisera. Qu'elle ne supportera pas de nous voir disparaître dans le train qui s'éloigne vers Oran. Car elle n'est pas folle. Elle a compris qu'elle ne nous reverra plus jamais. Ma mère pleure. Lorsqu'elles s'embrassent, leurs larmes se mêlent. Auparavant, Hanna, qui est la guérisseuse en titre du reg, a transmis ses dons miraculeux à maman en apposant son pouce contre le sien. Elles ont prié longtemps, les yeux fermés. Elle lui a offert son mortier et son pilon en bronze, les poudres, les plantes séchées nécessaires aux mixtures médicinales. Dans un esprit de transmission. Dorénavant, c'est ma mère qui soignera nos otites, nos fièvres, nos boutons et nos diarrhées. (Des années plus tard, quand grand-mère Hanna mourra, ma mère ne fera pas le voyage pour aller l'enterrer : nous n'avions pas les moyens. Elle en éprouvera longtemps un sentiment de honte...)

Sur le quai de la gare, je me suis tourné une dernière fois vers mon village, j'ai écouté la rumeur de la médina, j'ai respiré la poussière rouge de cette terre nubile que je laisse sous la protection du croissant de la modeste mosquée.

Je ne me souviens de rien d'autre. Je refuse de m'intéresser aux curiosités du voyage, même si c'est le premier que je fais. Le voyage, pour moi, ce sont les larmes de ma mère qui coulent sous le voile.

Dans le train, je reste obstinément assis sur mon strapontin. Les paysages qui défilent derrière la vitre, le bruit, rien, je ne veux rien voir, je ne vois rien, je me bouche les oreilles. On m'arrache à mon enfance et j'ai l'impression qu'on m'arrache une dent. La douleur est puissante, la vache ! Elle m'est tombée dessus par surprise. Je ne savais pas que l'exil pouvait avoir des effets secondaires contre lesquels il fallait se défendre. J'étais passif. Du coup, le mal s'est installé tranquillement. Me plongeant tout entier dans des affres intolérables. Comme je n'aime pas souffrir, je m'emploie à atténuer cette douleur, qui fait désormais partie de moi et qui semble couler dans mes veines. Je ferme les yeux. Je me mure dans le silence.

Je dois extraire une grosse épine du fond de mon âme. Après, quand le sang aura coulé, la blessure guérira. Je n'aurai plus qu'une petite cicatrice, heureusement. J'essaie de comprendre, je ne crains pas de remuer les zones obscures de mon jeune passé. Ça y est. J'ai trouvé ! Je sais ce qui m'a mis dans un tel état de souffrance. Mes yeux se voilent. Je regarde par la vitre du train, je fuis les yeux des voyageurs qui encombrent le couloir du wagon. Mes larmes coulent, mon nez aussi. Je tiens l'écharde entre mes doigts. Je vais pouvoir la retirer doucement de mon âme. Elle était bien enfoncée. Ensuite, la plaie se refermera et le mal s'atténuera. On peut continuer à vivre avec la douleur, mais elle finit par faire des bleus à l'âme. Elle l'attaque. C'est une blessure qui réapparaît quand on appuie dessus, et l'on redevient mauvais. Pour ôter certaines épines, il faut s'y reprendre à plusieurs fois, tellement elles sont coriaces et enfouies depuis si longtemps.

Dans le train qui nous emporte, la souffrance qui m'a subitement pris au ventre est celle d'une vieille aiguille. C'est une trace de pas sur un chemin où je suis déjà allé, c'est un témoin de mon passé. Ces larmes, cette épine, cette cicatrice, cette douleur, dans ce putain de train, sont liées à quelqu'un de bien précis : à ma sœur Amaria, morte dans le puits, enterrée dans notre reg. On l'a laissée seule. On l'a oubliée. On part sans elle...

Je n'ai pas vu la mer... Il faisait nuit.

Le bateau à quai est si long et si haut qu'il empêche de voir le large. Je suis impressionné : comment un tel monstre ne coule-t-il pas au fond de l'eau ? Entre cette carcasse illuminée et le quai, la lumière pâle des lampadaires se reflète sur la surface dansante de l'eau noire. On embarque de nuit... Mes frères, ma mère qui porte Noria dans son dos et moi suivons le vieux couple trafiquant d'or qui nous sert de guide. Je n'aime rien, ni le vent qui me gifle sur la passerelle, ni la salle des troisièmes classes où nous déposons nos bagages. Du chemin de la gare à l'hôtel d'Oran, je n'ai rien retenu... Quand je ne veux pas ! C'est comme ça : je me renferme. Je veux revenir au plus loin de mon enfance...

Pourtant, lorsque je distribuais mes journaux et que j'entendais *Oran la joyeuse* chantée par la voix chaude et nostalgique d'un chanteur en exil, j'avais des frissons. Dans mon village, en écoutant cette rengaine, j'en rêvais, d'Oran...

Oran, c'est une chambre d'hôtel au troisième étage que nous partageons avec le vieux couple. L'homme et la femme sont allongés sur le lit ; avec maman, nous sommes par terre. Dans la rue, un néon clignote et la lumière bleutée pénètre dans la chambre à travers les interstices des volets. Une odeur désagréable — on dirait des pommes pourries — s'échappe des bagages du vieux couple.

Sur le bateau, ma mère refuse qu'on quitte la cale, même quand il fait jour. J'ai un mal de mer monstrueux. Je n'ai plus rien à vomir, comme tous ces pauvres gens qui nous entourent. Ils sont livides. Dans leurs yeux on devine un sentiment d'échec, celui des exilés. Parfois, on décèle aussi une vague lueur d'espoir. Leurs paupières lourdes se referment sur leur rêve. Notre sœur Noria est celle qui souffre le plus du mal de mer. Un gradé de la marine est venu à son chevet. Il lui prescrit un somnifère. Ma mère hoche la tête sans comprendre ce qu'il dit. Avec l'officier, il y a un pilotin, une femme boudinée dans un uniforme bleu, qui prend des notes. Elle nous observe avec des yeux gentils et nous demande où nous allons. Je n'ai pas prononcé le nom de Nanterre. De peur qu'elle fasse la grimace comme ma maîtresse d'école !

Nous avons débarqué à Port-Vendres, c'est la France ! Ça ne m'a rien fait... Non ! l'Amérique des Maghrébins ne m'impressionne pas. Port-Vendres, c'est une gare, une salle d'attente et un robinet d'eau à l'entrée. C'est tout. Nous cuvons notre mal de mer, nous attendons toute la journée. C'est novembre. Ma mère a la petite Noria dans les bras. Elle nous dit, avec soulagement :

— Demain à cette heure-ci, nous serons avec votre père !

J'ai une hantise : est-ce que je vais le reconnaître ? Il y a si longtemps... La nuit, le train est là, ronflant, trépidant. On s'affole. Le quai est noir de monde. On nous aide à monter les bagages dans le wagon. Ma mère trouve une place dans un compartiment ; nous, les enfants, on est bien dans le couloir. Soudain, maman s'écrie en me regardant :

— Ton frère !

Elle a hurlé si fort que toutes les têtes se sont tournées vers nous. Il n'est pas là, le con, il n'est pas avec nous, mon grand frère ! Une angoisse terrible étreint ma mère qui déjà pleure et crie dans le couloir. Avec une force inouïe, elle bouscule tout ce qui entrave sa route. Elle est sur le quai. Je cours derrière elle.

Nous cherchons, nous appelons. La gare est en effervescence, on parle de nous, on nous montre du doigt, on nous suit à travers les fenêtres du couloir... Ma mère drapée dans son haïk blanc court comme un fantôme dans la nuit noire... Nous longeons des voies, en traversons d'autres. Nous passons de rail en rail, nous rampons sous les wagons à l'arrêt. Ma mère est sur le point de défaillir. Elle trébuche sur les traverses. Tout s'est arrêté. Sur le quai, toute la foule cherche mon frère avec nous. Le matin, quand ma mère a parlé de mon père, il s'est renfrogné. Il craint qu'on ne lui rapporte toutes ses bêtises, qu'on lui dise que c'est un enfant révolté. Du coup, il ne veut plus partir. Il se cache. On nous appelle dans le haut-parleur. On l'a retrouvé. Il retient difficilement ses larmes : il a eu si peur de nous perdre...

Nous sommes affalés par terre dans le couloir du train. À travers les vitres, il n'y a rien à voir : le ciel et le paysage se confondent dans les mêmes ténèbres. La machine fuit à toute vapeur, on dirait qu'elle a peur comme moi. Le bruit de la locomotive me berce : je m'endors. Des gerbes d'étincelles blanches et jaunes provoquées par le frottement des roues sur les rails jaillissent devant les vitres. Dans les compartiments, les « gens bien » étalent leurs provisions sur la tablette. Ma mère rompt la grosse miche de pain avec ses mains et la partage entre nous.

Paris, Gare d'Austerlitz. Je n'ai jamais eu si froid. On ne trouve pas mon père. Nous avons mis nos bagages sur un chariot et nous errons dans la gare à sa recherche. Le vieux couple qui, jusque-là, nous accompagnait était pressé. Il nous a laissés. Nous tournons sans arrêt et revenons à notre point de départ. Nous sommes dans un pays où l'on ne porte pas de haïk et ma mère suscite la curiosité. Les voyageurs qui se hâtent vers leur travail ralentissent en la regardant.

Ça y est. Mon père est là ! Je le reconnais, il court vers nous, heureux, les bras ouverts. Il s'excuse d'être arrivé en retard. Il nous étreint, submergé par une émotion très forte. Il dissimule ses yeux mouillés dans le cou de Noria, son dernier enfant qu'il n'a pas vu grandir. Les yeux de mon père brillent d'un éclat particulier, celui qui naît d'une éternelle attente. Ses mains calleuses nous serrent fort. Son teint retrouve des couleurs. Il a des traits doux. Il est tout en muscles, il a un large cou, pas un gramme de graisse, il est alerte, il pourrait sans doute tous nous porter, et avec nos bagages, sur ses épaules ! Il hèle un taxi. Nous nous installons. Paris est une belle ville enveloppée dans un gris cafardeux. La traversée en voiture prend un temps infini. Ça m'impressionne : moi si vif et si agile qui, en quelques foulées, dépassais mon village, et qui d'un saut escaladais ma montagne comme le prince des aigles ! Et les cinémas, que de cinémas ! Je gesticule en permanence, je tends le cou de tous les côtés, pour lire les noms sur les frontons. Le Gaumont... le Bastille-Palace... le Rex... C'est extraordinaire ! Les affiches sont immenses, elles ont la hauteur des immeubles. Mon père remarque ma curiosité. Il dit : « Vous irez souvent au cinéma ! » Il aime le cinéma, surtout les films de Youssef Chahine avec le divin Farid El-Atrache. Moi, je n'aime pas ces films : ça chante trop dans ces blagues d'amourettes avec des héroïnes colorées, fardées comme des sapins de Noël, et je trouve que les héros sont niais...

Ce n'est pas aujourd'hui, et peut-être est-ce définitivement terminé, que les trilles lancinants des cigales berceront notre voyage. Le ciel est si bas, l'horizon si proche. La terre et le ciel se rejoignent pour former un mur sombre et opaque : aucun envol possible !

Le taxi nous laisse aux Pâquerettes. C'est le nom du quartier. Je remarque qu'il y a beaucoup d'Arabes. Mon père nous guide parmi les allées larges et propres d'une cité HLM. Nous le suivons les yeux tournés vers tous ces immeubles. Après avoir dépassé le deuxième ensemble, nous apercevons de nouveaux blocs gris, les derniers à l'horizon, j'imagine notre futur logis... Mais nous contournons ces barres, nous les laissons derrière nous. Après, il n'y a plus rien. Si, au loin, très loin... On a encore de la route. Non ! Devant ces blocs, on dirait qu'il y a un village de baraques en bois, avec des toits en tôle... Les cheminées dégueulent une fumée dense et âcre... Par terre, il y a une épaisse couche de boue. Mon père se dirige vers le baraquement. J'ai compris. Il n'a pas osé donner la vraie adresse au taxi, peut-être à cause de la boue. Ou c'est le taxi qui n'a pas voulu aller jusque-là. J'observe ma mère. Je ne vois pas son regard dissimulé par le haïk. Mon père a honte. Il marche vite. Il veut qu'on s'attarde le moins possible sur cette image. C'est vraiment le fond du fond, on ne peut pas tomber plus bas. Des allées tortueuses, fangeuses et puantes conduisent vers notre bicoque.

Mon père a fait fort : il nous a fait venir en novembre, la période la plus difficile pour les mélancoliques comme moi ! La baraque est divisée en deux parties : une pièce pour les enfants avec quatre lits superposés et une autre, plus vaste, qui fait office de cuisine, de salle à manger, et où il y a aussi le lit de mes parents.

Le sol est en terre, humide. Il y a des creux et des bosses. Mon père frotte ses mains calleuses. Il allume la radio et capte une fréquence arabe. Il prépare le café, réchauffe l'atmosphère. Ma mère est assise sur le bord de la paillasse, les mains sur les genoux. Elle jette un œil morne aux murs, au plafond bas, puis elle nous regarde... Furtivement, un rai de lumière pénètre dans le gourbi : beaucoup de poussière flotte dans l'air. Mon père rassure : « Pas plus d'un an ici ; après, on nous relogera... »

Notre taudis est situé au milieu du bidonville. Il a coûté quatre cent mille francs à mon père. Une petite fortune ! Les vendeurs sont un vieux couple de retraités algériens. Ils rachètent les baraques de familles relogées dans les blocs et les revendent au double du prix. On ne peut pas construire comme on veut, où on veut : la police veille et détient un plan très précis du labyrinthe. Si une nouvelle cheminée apparaît clandestinement au-dessus des toits branlants, on la repère tout de suite. Aussitôt, les pompiers guidés par la maréchaussée viennent la démolir à la hache. Il faut un permis de construire, qui sert de recensement. Ensuite, il faut acheter le bois, le zinc, le shingle, les poêles et le mobilier. Chaque baraque en soutient une autre. Le vent mugit, lance sa plainte monotone, comme un pauvre bougre qui voudrait bien aller voir ailleurs, là où c'est plus drôle...

Il faut s'asseoir sur des chaises. Mais il n'y en a pas pour tout le monde. Mon père doit encore acheter des nattes. Mes frères et moi, on reste debout. On a toujours nos habits de voyage sur le dos. Nous sommes en cercle autour du Godin, un poêle de fortune qui ronfle au rythme des rafales de vent qui s'engouffrent dans la cheminée. Je suis trop impatient pour rester là toute la journée, les mains dans les poches. Je demande à sortir. « Ne t'éloigne pas ! »

L'air empeste le goudron du shingle, le mazout et le charbon. L'odeur de la fange épaisse me soulève le cœur. Les allées sont étroites. Les cloisons penchent. J'évite les flaques les plus profondes, mais je marche quand même dans la boue noire. Il n'y a pas de chemin à sec. Je lève les yeux vers nos voisins, les veinards des immeubles d'en face qui nous surplombent. On dirait que les cinq grands blocs robustes nous épient et se moquent de nos cages à lapins ridicules. Le vent vif me fait frissonner. Les boutiques des commerçants arabes du bidonville sont situées au bord de la route. Au passage, les voitures ralentissent pour éviter d'éclabousser les piétons. Je recense les commerces : le coiffeur, l'étal du boucher ouvert à tous les vents, le primeur encore plus gelé que ses tomates grises, l'écrivain public derrière une vitre sale, le visage masqué par le halo jaune d'une lampe sur pied sans abat-jour, le hammam et les cafés... Il en faut, des cafés, pour noyer le mal du pays dans la Valstar ! Je n'ai pas encore fait le tour complet de ce labyrinthe mais je perçois une misère particulière, peut-être plus obsédante que les autres. Ça me saute aux yeux. Il s'agit de la misère sexuelle. Je n'ai pas peur, je prends le temps de scruter les visages des jeunes ouvriers, « les célibataires », que je croise. Ils ont les yeux cernés, on voit qu'ils sont en manque. Ces mâles robustes composent la population la plus nombreuse du bidonville. Le dimanche, ils errent de café en café. Ceux qui veulent économiser leur argent fuient les jeux de cartes et la bière et s'agglutinent en grappes sur les trottoirs. Je m'approche du café. Je zyeute à l'intérieur. Derrière les rideaux dépareillés, jadis blancs mais devenus jaune pisseux, j'aperçois les silhouettes des clients attablés autour du poêle à charbon. L'endroit me semble sordide. Les marchands de bière, comme ceux de sommeil, ne procurent ni confort ni hygiène, et, surtout, aucune chaleur humaine, à leurs frères. Brusquement, un doigt fin, l'ongle rouge, écarte légèrement le rideau crasseux. Une figure de femme se colle contre la vitre. Elle me dévisage. Je la regarde. Un col roulé en laine fine, vert foncé, dissimule sa gorge. Elle tient entre ses doigts une cigarette avec un bout filtre ; elle essuie la buée que son haleine forme sur le carreau. Elle a les traits tirés par le froid du matin. Elle n'est pas maquillée, elle a des cheveux bouclés indisciplinés, ses yeux sont couleur ardoise. Heureusement, elle a une bouche aux lèvres charnues, grenat. Je trouve que ce dernier détail fait tout son charme : elle est exquise à regarder. C'est une vieille : elle a au moins trente ans ! J'attends qu'elle m'adresse le sourire que les grandes personnes accordent parfois aux enfants qui les fixent. *Oualou !* J'ai l'impression que je suis transparent. Elle a l'air ailleurs, absente... Le juke-box nasillard joue Farid, rythmé par les claquements des dominos sur les tables bancales. Je m'aperçois que dans le dédale de ce bidonville il manque un lieu de prière. Je m'éloigne des baraques, de l'air piquant. J'ai plaisir à fouler le bitume. Je lis les noms des rues, celui des stations d'autobus et leurs numéros. L'hospice de la Maison de Nanterre m'impressionne par son volume, son architecture. Aux alentours, emmitouflés dans d'épais uniformes bleus, déambulent de vieux ivrognes, hommes et femmes. Ils ont des faces rabougries couperosées, ils sifflent des litrons de pinard en délirant. Ils pissent les jambes écartées sur leurs godillots et s'immobilisent tout à coup, essoufflés, las, le regard vitreux et perdu vers un improbable horizon...

Je m'assieds sur le banc de l'abribus. Je suis bien là, à regarder les gens du dimanche. La boue noire a séché sur mes chaussures. J'émerge de la fange. On ne peut pas tomber plus bas. Alors que j'ai été berger... Mais là-bas, il y avait le soleil... Je suis en France et j'ai honte. De qui, de quoi ? Je suis trop petit pour le savoir. Je comprends seulement sans qu'on ait besoin de me l'expliquer que tout ce que j'ai vécu avant n'a plus droit de cité ici. Mon ancienne personnalité est morte. J'essaie de me donner du courage et je me répète en boucle la phrase qui tue : « L'enfant que j'ai été ne vaut plus rien ici... »

Je me recroqueville dans un orgueil méchant et je retourne à la baraque.

Au robinet du bidonville, l'attente est longue. C'est ma première rencontre avec les enfants arabes du quartier. Ils causent tous le français et n'ont pas froid comme moi qui trépigne, les orteils gelés. Ils ont des gants et une lampe pour se guider dans le labyrinthe obscur. Il y a plus de filles que de garçons. Comme là-bas, les corvées sont réservées aux femmes. Sous le poids des bidons, elles repartent en marchant de biais. Une fois que j'ai rempli mon seau, je marche derrière une fille qui éclaire le sentier avec une petite torche. La gamine est longue, fine et porte un pantalon sous sa robe. Sa tête est couverte d'un bonnet bleu qui paraît noir dans l'obscurité. Ses bottes en caoutchouc crissent. Les baraques du bidonville sont toutes aveugles. Sans électricité, dans la nuit épaisse, l'endroit ressemble à un vaisseau fantôme. J'avance à tâtons. La fillette à la torche a bifurqué dans son allée. C'est seul que je dois retrouver la mienne. Les ouvriers célibataires picolent avant d'aller rejoindre leurs paillasses. La bière assomme celui qui ne peut plus rêver, ou ne le veut plus... J'en croise deux qui me font peur. Ils titubent tellement que je suis obligé de me coller contre une cloison pour leur céder le passage. Je pose mon seau. Je lève les yeux, j'écoute. Ici, une fois la nuit tombée, les oiseaux ne chantent plus, comme si la vie s'arrêtait... Dans le silence, il me semble pourtant entendre en sourdine une antienne du Livre : peut-être des enfants qui récitent un verset du Coran dans une medersa...

Aujourd'hui, jeudi, j'ai passé toute la journée avec le bon Dieu. Il a plu tout le temps. Pas moyen de trouver un copain avec qui jouer. Alors, dans le lacis de ruelles tortueuses du bidonville, j'ai erré tout en Lui causant dans ma tête. Pour parler à des vieux comme Lui, il faut parfois se pencher à son oreille.

Bref, le Vieux en a marre, qu'Il m'a dit, que les gens s'avilissent et rêvent de posséder des biens matériels, ou de ressembler à leur voisin. Alors que Lui peut leur offrir des trésors inconnus. Il maudit ce monde qui stagne, qui rame sur le bitume. Un moment, je L'ai même vu devant moi. Il avait une cape arc-en-ciel qui traînait presque dans la fange et Il s'est plaint. « Ils veulent Me tuer ou quoi ? » C'est vrai quoi, moins on fait appel à Lui, moins on Le prie, plus Il s'emm... s'ennuie ! Alors qu'Il rêve de gloire et de renouveau... En tout cas, qu'Il m'a dit, Il ne changera rien à Son plan : un jour ou l'autre, à cause du soleil et de la pollution qui la détruisent, notre bonne vieille planète sera foutue. Au lieu de dépenser notre argent à faire la guerre, nous ferions mieux de l'utiliser pour trouver des combines qui nous sauveront. C'est Son plan à Lui pour nous contraindre à explorer l'Univers. Faut voir quand Il est en colère ! Ce qu'Il déteste, c'est lorsque je Lui balance : « T'as qu'à Te montrer, ne serait-ce qu'une fois, alors ils auront tous la trouille ! » Il conclut : « Dis-leur que Je ne suis pas la réponse : Je suis la question ! » Ensuite je L'abandonne à ses lamentations, le pauvre ! Dire qu'Il a l'éternité devant Lui ! Je ne voudrais pas être à sa place. Nous, Ses ouailles, ne sommes intéressés que par le résultat, la réponse. L'intrigue avec ce qu'elle exige de questions et de doutes ne nous concerne plus. On est blasés. Ça Le met dans un de ces états ! Du coup, c'est comme s'Il était devenu notre prisonnier.

Voilà pourquoi tous les jeudis je Lui rends visite. Ainsi, Il peut parler, ça Lui remonte le moral. Mettez-vous à Sa place, au Vieux : toute la sainte journée, il faut qu'Il réponde à des prières qui n'ont plus grand-chose à voir avec la religion : les uns Lui demandent d'écraser leurs voisins, les autres réclament du pouvoir, d'autres de l'argent, ou du sexe ! Il est dégoûté...

— Ah ! Van Gogh, Van Gogh, ça c'était un fils ! qu'Il me lance. Mon Vincent ! Qui s'est évertué toute sa vie à Me représenter dans toute Ma splendeur !

— Tu l'as laissé vivre inconnu, et il est mort dans la misère !

— Tu n'as rien compris, qu'Il me répond, lorsque J'ai dit Je reviendrai vers vous, Je reviens ! Il n'y a pas de temps, ni d'espace, Je n'en ai pas, couillon ! Je suis trop, trop... (Il ne trouve pas le mot.) pour occuper un espace, trop Éternel pour avoir une montre !

Des fois, Il me fatigue.

— Il y a ceux que Je récompense de leur vivant et il y a ceux qui sont élus une fois morts : c'est la même chose, Je tiens promesse !

Là, je ne L'écoutais plus. Je me débattais avec un mot que je n'arrive jamais à dire d'un coup : otsenta, otensasoire... otsensatoire... ostensatatoire...

— Toi, Je t'ai à l'œil !

Je n'aime pas quand Il me dit ça. J'ai l'impression qu'Il compte sur moi.

— N'oublie pas, Je suis en toi !

Ça c'est le plus vache, c'est pire qu'un flic. Il me surveille. Eh ben moi aussi ! Je Lui balance :

— Dis donc ! À El Asnam, il y en a eu combien de morts dans le tremblement de terre ?

J'aime Ses silences. J'aurais voulu avoir l'intelligence de la psychologue de l'école pour Lui expliquer son cas. Il me fait de la peine : orphelin et seul. Lorsque je Lui demande des nouvelles de Ses fayots de fils, avec leur esprit de premier de la classe, Il lève la main :

— Arrête !

Désabusé, Il se prend la tête dans les mains. Des fois, Il me fait une confidence :

— Bouddha est un gros paresseux qui continue de chercher à sauver sa peau dans le salut pendant que de plus pauvres que lui l'entretiennent ; le vôtre a engrossé toutes les houris de son secteur ; Jésus, quant à lui, arrive, je ne sais comment, à se faire ravitailler ce qu'il veut de Colombie.

Il est déprimant. Je Lui réchauffe le cœur comme je peux : je ne me masturbe plus durant une longue période.

Mon père ne nous a pas conduits à l'école. Il doit aller à son travail. Deux garçons qui ont presque le même âge que moi, et qui habitent à quelques baraques de la nôtre, nous ont emmenés, mon frère et moi. Quand j'arrive dans la cour de l'école, j'ai honte des traces de boue sur mes chaussures. Elles me trahissent. Je suis un nouveau et les petits Français ne se gênent pas pour me traiter de haut. On m'a casé dans la classe de rattrapage avec les « absents », les tarés, et tous ceux qui n'ont rien à foutre de l'école. Ils ont de huit à quinze ans. Je suis anxieux. J'ai peur de me retrouver avec eux. Mon autre angoisse, c'est le maître. Comme je suis un enfant très mûr et perspicace — Hanna n'avait pas tort ! —, j'ai vite compris que cet instituteur avait été nommé dans cette section parce qu'il avait un point commun avec les ânes et les cancres qui la composaient. En fait, il est comme eux ! Il m'a l'air complètement à l'ouest. Il est jaloux des autres maîtres en charge des élèves « normaux ». Il est vieux, long et maigre. Comme cette règle qu'il utilise pour taper sur le crâne de ces élèves qui n'ont aucune notion de l'autorité et du respect. Avec sa règle, il essaie d'imposer son autorité. Il a le teint pâle, les lèvres poisseuses et une espèce de jus blanc aux commissures. Il a une silhouette inquiétante. Il ressemble à un squelette dégingandé sur lequel flotte une grande blouse grise qui lui tombe jusqu'aux mollets. Certains matins, il annonce, la voix chevrotante :

— Aujourd'hui, je voudrais bien ne pas avoir à vous frapper : je n'ai pas le cœur à ça... Alors, faites-moi plaisir !

Puis il s'assoit, fatigué, incapable d'ouvrir son cartable. Il nous a donné des surnoms, par groupe de population : il nous traite de « relève d'éthyliques », de « racaille qui se nique » et de « marteaux qui piquent ». Autrement dit : les « fils d'ivrognes », les « consanguins » — qui baisent en famille — et les « cinglés de l'étranger » (utilisateurs exclusifs du marteau piqueur !). Il souffle ces expressions imagées par ses joues creuses aux pommettes violacées qui témoignent qu'il boit du rouge... Il sent le tabac froid. Quand il se promène dans les rangées, et qu'il se poste dans notre dos, pendant une dictée, on sent l'odeur écœurante des vêtements qu'on distribue aux pauvres dans les dispensaires religieux. Très vite je lui ai tapé dans l'œil : parce que j'aime lire et que je ne lis pas mot à mot, le doigt sur la page. Tous les jours, c'est moi qui lis un chapitre des *Misérables*. Schoëder est le seul élève français de la classe qui m'adresse la parole. Il parie que je ne resterai pas longtemps dans cette session de rattrapage : je sais lire et j'ai de l'éducation — il veut dire que je respecte l'autorité. Lui, il ne craignait que son père, qui est parti. Sa mère est très soignée ; lui, toujours impeccable, son corps comme ses vêtements, et sa tignasse blonde, coiffée en brosse, brille lorsqu'un rayon de soleil perce dans cet univers ingrat.

Ce matin, je suis plutôt de bonne humeur. Je m'habitue au gris, au noir, au triste, au déprimant. À tout sauf à la boue ! J'ai envie d'aller errer dans Paris. Quand on est arrivés, j'ai remarqué que là-bas les gens n'avaient pas le teint verdâtre des gens d'ici. Schoëder m'a dit qu'il y avait un bus qui pouvait nous emmener jusqu'à Neuilly.

Le soir, après le travail, mon père nous entraîne, mon frère et moi, au hammam du bidonville. À l'intérieur, je ne suis pas tellement rassuré. Sous les planches de bois, il y a de grands tonneaux métalliques remplis d'eau qui chauffent sur des gazinières. On voit les flammes bleues. L'eau bouillante fournit une vapeur moelleuse. Devant cette installation de fortune, je ne peux pas m'empêcher de penser à l'accident et à la catastrophe. Plus on est pauvre, plus on vit dangereusement. Néanmoins, le bruit des voix et les chants nostalgiques des hommes, dans cette chaleur vaporeuse et piquante, me rassurent. J'observe, j'écoute parler les hommes et leurs fils. J'apprends avec étonnement qu'en Algérie il y a d'autres tribus que la mienne. Les Algérois, les Kabyles, les Sahraouis : tous ont un accent, un teint, un faciès particuliers ; des Marocains et des Tunisiens se côtoient.

Après avoir fait mes devoirs, je vais regarder la télévision dans le café du bidonville. Le patron est un Kabyle, qui a un nez de Berbère qu'on croirait calqué sur le Djurdjura, le massif qui l'a vu naître. Il me laisse entrer sans rien me dire. Je reste debout près de la porte. Le poste de télévision trône sur une étagère au-dessus d'un portemanteau. Les ouvriers qui ne boivent pas sont tournés vers l'écran, avec une tasse de café vide et un cendrier plein sur la table. À cause des cris des joueurs de dominos et des coups de poing qu'ils donnent sur les tables branlantes, on n'entend guère le son du poste. J'arrive au café avant le début du feuilleton du soir, *Janique Aimée*. L'invariable générique précède le résumé de l'épisode de la veille. Je suis déjà dans un état d'excitation fébrile, avant même de connaître la suite des aventures de l'héroïne. Je suis attentif aux moindres détails, rien ne m'échappe. J'ingurgite tout ce que je vois sur l'écran. Après, mon imagination fait le tri, interprète à sa façon le ton, les sons, décrypte les effets, les silences, les non-dits... Je me prends pour l'auteur du texte et le réalisateur des images. Lorsque l'émotion est trop forte, je me répète : « Ce n'est qu'un film. » Générique de fin. L'émotion retombe et mon regard retrouve brutalement la réalité qui m'entoure : relents de tabac froid, humidité ambiante, vêtements qui collent à la peau... Les joueurs ivres sont nerveux, sur le point de se battre pour un dé mal lancé. Il y a aussi cette femme, la seule du bistro, qui tient une cigarette à bout filtre blanc à la main, le coude posé sur le zinc, et à laquelle on ne s'intéresse guère hormis les jours de paye... Elle porte un chemisier couleur ambre et une jupe noire. Son corps est petit et gras. Elle a un regard mélancolique et grave, un rictus désabusé qui semble crier à tous que ce n'est pas ici, pas avec eux, qu'elle rêvait d'atterrir quand elle a bouclé sa valise pour la France ! À la fin de la semaine, qui coïncide avec les acomptes, elle reçoit dans l'arrière-boutique. Les clients se succèdent à un rythme effréné. J'aurais bien aimé qu'elle puisse faire son métier en prenant son temps. Un soir, un client au teint fortement hâlé, originaire de Biskra, avec une tignasse crépue, s'est épris d'elle. Il était affamé et voulait profiter de sa forme pour tirer deux coups au lieu d'un seul, réglementaire. Comme il s'attardait, elle a crié. Le patron du rade et son acolyte ont arraché le Biskri du ventre de la fille, l'ont roué de coups, assommé, et balancé dans la fange...

Le bruit lointain d'un marteau piqueur ne masque pas le tic-tac angoissant de la pendule au-dessus du bureau de notre maître. Ivre de fatigue, le vieux essaie pourtant d'élever notre niveau. Mais las de s'exciter méchamment dans les rangs, il s'est assoupi sur son siège, le front baissé, les mains jointes sur le ventre. Ses paupières molles se sont fermées brutalement, rideau ! Après le déjeuner, il ne touche plus une bille. Nous, on respecte ce qu'il nous a demandé : on chuchote en attendant qu'il se réveille. Une torpeur m'engourdit aussi, je somnole les coudes sur la table. La buée recouvre les vitres. Autour de moi les groupes se sont constitués : les « marteaux qui piquent », des Arabes, s'échangent des illustrés volés. Les représentants de la « relève des éthyliques » causent football et billes. Les « racailles qui se niquent » écoutent Hugues, le plus âgé. Ces derniers sont blonds avec une belle tignasse épaisse et propre. Ils ont les joues roses et les yeux bleus. Ils se ressemblent, au point qu'on pourrait les confondre. D'ailleurs, c'est le but. Ils ne se mêlent pas aux autres, ils sont à l'école pour défendre leurs allocations familiales. Les parents comptent sur Hugues pour entretenir la fibre tribale en dehors du campement. Les « qui se niquent » ne sont pas tout à fait débiles, disons que ce seraient plutôt des « diesels », ou un truc comme ça, c'est-à-dire que lorsqu'on leur parle l'information met un certain temps à arriver jusqu'au cerveau. Ils vous regardent d'abord avec un œil vague, la bouche ouverte. C'est seulement après qu'ils hochent ou secouent le bourrichon. Bref, ils sont longs au démarrage ! De toutes les manières, Hugues ne veut pas qu'on s'adresse à ses gars. Il s'interpose toujours et crie : « Quoi ? Hein ! Quoi ? » en roulant des mécaniques. Leur société est fondée sur la parole ; chez eux tout se transmet de bouche à oreille : le goût de la liberté comme celui de la paresse. Ils aiment l'accordéon et ne savent pas lire. Ce ne sont pas des gitans, seulement des Français du Nord qui ont atterri là. Dans leur campement, il y a un vieux qui veille au grain. Il gère les relations sexuelles du groupe. Cela évite que les adolescents aillent fricoter avec la racaille de l'extérieur. On fait attention aux grossesses et on baise entre soi... Avant de se marier, ils étudient précisément leurs origines, la consanguinité pure est exclue. C'est pour ça qu'ils ne sont pas tout à fait débiles ! Hugues a quatorze ans. L'Ancien doit bientôt lui annoncer avec qui baiser. Il en pince pour une petite de treize ans, mais l'Ancien lui a demandé de patienter, elle n'est pas mûre. Il lui a trouvé une fille plus expérimentée qui s'est allègrement portée volontaire pour l'initier. Hugues me l'a montrée, c'est une sacrée rustaude aux bras blancs et charnus. Elle a du maquillage et des paillettes bleues sur tout le visage. J'ai dit à Hugues : « Celle-là, elle va te faire cracher tes P4. » Il a pas saisi et s'en est allumé une, de P4... Ces « consanguins » baisent à tout va, ils ont une belle peau et sont toujours jouasses. Pour savoir s'il n'y a pas de risque dans l'accouplement des uns avec les autres, l'Ancien lit dans les iris. Putain, faudrait pas que sa vue baisse, ça deviendrait vite le bordel ! Leurs pères possèdent tous la voiture à la mode, une DS. Ils ne volent pas, m'a juré Hugues, ils se démerdent...

La « relève d'éthyliques », ce sont des enfants transparents. Ils passent inaperçus, c'est leur façon de cacher la tare de leurs parents. En classe, ils font de leur mieux, ils ont encore un peu de temps avant de devenir comme leur père. Mais ils savent qu'ils n'échapperont pas à leur destin d'alcoolique... et ça ne les réjouit pas. D'ailleurs, c'est pour ça que je ne les fréquente pas, ils ne sont pas drôles.

Les « marteaux qui piquent » ne sont pas marteaux. Ils sont juste à la marge de la société et doivent faire beaucoup d'efforts pour rejoindre la vraie vie. Mais la barrière entre les deux mondes est très difficile à franchir. Je suis né du côté des « marteaux qui piquent » et pour l'instant je n'ai pas la force de sauter...

L'arrachement à l'enfance a été violent. J'ai la peau à vif, j'attends que la mue s'achève. Je fais souvent le même rêve : je suis nu au milieu de la foule et je ne sais pas où dormir.

Au moment où il nous rend nos devoirs corrigés, contrarié par nos mauvaises notes, notre maître a un malaise. Soudain, il ne peut plus parler, il se lève, il croise les bras, il serre les poings sur sa poitrine... Sa tête vineuse est en sueur. Des grimaces de douleur déforment ses traits. On dirait que tout son visage, crispé, essaie de résister au mal. Il râle, il souffle, il souffre. On ne sait pas quoi faire. On s'interroge du regard. Enfin, l'élève Guzman s'approche du maître qui s'est assis au bord de l'estrade :

— M'sieur, j'appelle M. le directeur ?

Le maître a les yeux dilatés. D'une voix grêle, au bord de l'étouffement, il susurre :

— Non !

À moi :

— Lis, lis !...

J'ouvre le livre de lecture et entame un nouveau chapitre des *Misérables*.

Schoëder et moi sommes amis. On ne se quitte plus. Je suis même allé chez lui. Sa mère est devenue très gentille avec moi quand elle a su que j'arrivais du bled et que j'habitais en bas. Les baraques, elle les voit de ses fenêtres. Elle a pris l'habitude de me faire un casse-croûte sans viande de porc, que Schoëder me donne à la récréation du matin. Guzman s'est joint à nous. Lui est espagnol. Il est toujours bien habillé. Sa mère fait des ménages. Elle a un air craintif, comme s'il allait lui arriver quelque chose. Je l'ai bien vu sur sa figure : elle a toujours peur. Elle se plie aux volontés de son fils, accepte tous ses caprices. Guz en profite. Il joue au chef, il la harcèle. Il faut qu'elle lui achète tout ce qu'il veut, qu'elle lui laisse tout faire. Et en classe, il ne fournit aucun effort. Mme Guzman est aussi gentille que la mère de Schoëder, mais ça ne se voit pas. Chez Guz, on écoute de la musique dans sa chambre. Il a la collection complète de *Salut les Copains*, des affiches de vedettes collées au mur. Comme il en change souvent, le papier peint en a pris un sacré coup. J'ai mis un disque sur la platine d'un phonographe pour la première fois de ma vie. On peut repasser la même chanson, l'écouter plusieurs fois de suite sans que ça fatigue la voix du chanteur... Vous allez comprendre pourquoi je tiens à préciser ça.

Au village, de temps en temps débarquait un camelot italien avec son stand de tombola. Il baratinait les clients : on pouvait gagner une mobylette bleue toute neuve capable de conduire le gagnant en moins de deux heures jusqu'à Tlemcen ! Entre les tirages, alors que le suspense était à son comble, il repassait toujours le même disque de la même chanteuse. Moi, j'étais petit et je ne savais pas encore ce qu'était un disque ; alors je plaignais bien tristement la chanteuse, je pensais à sa souffrance, à la fatigue qu'elle devait ressentir d'avoir à ressasser le même refrain pendant des heures. Je maudissais ce rustre de camelot.

Un rayon de soleil orange troue l'épaisse couche de nuages et fait briller la manivelle du robinet. J'ai tiré sur les manches de mon tricot. Avec ces gants de fortune, je peux actionner la poignée glacée. L'eau coule par à-coups dans mon seau et projette des éclaboussures tout autour, dans la boue. Je déteste cette boue qui forme une carapace visqueuse sur mes souliers. Je lève les yeux du sol, je ne veux plus voir cette fange puante. C'est la fin du jour. Je suis seul au ravitaillement, le robinet m'appartient. Devant moi, les bâtiments se découpent sur un fond de nuit grise. Les fenêtres scintillent comme des guirlandes lumineuses.

Penser à Hanna me réchauffe le cœur. Elle me manque : son regard doux qui m'enveloppait tendrement, ses oreilles qui m'écoutaient. J'ai un tas de questions en tête : elle est la seule à pouvoir y répondre. J'aime ces moments où je l'interroge. Ils nous rapprochent. On partage quelque chose. D'ailleurs, peu importe les réponses d'Hanna... Ce soir, près de la fontaine en fonte et sans couleur, j'aurais bien voulu qu'elle me parle encore de Dieu. Pour aller loin, pour s'accomplir, il faut voyager léger. C'est ce qu'elle m'avait dit. Il faut se débarrasser de tout ce qui nous encombre et qui galvaude nos envies. Chasser l'orgueil aussi... Mais que reste-t-il alors ? Ce détachement, est-ce le prix à payer pour la liberté ? C'est de ça que j'aurais voulu parler à Hanna, à ce moment-là ! Et quand elle parlait de Dieu qui est en moi, qu'est-ce que ça voulait dire ? De Lui aussi, il faut se débarrasser ?

Quand elle me reçoit, la psychologue du dispensaire se frotte les mains. Alors ? me dit-elle en me faisant asseoir. Rien !... C'est plus que beaucoup ! Et elle rit... Se force-t-elle ? Elle dit que je suis précoce. Je lui réponds que moi je ne voulais pas la voir ; c'est le directeur de l'école, M. Tesson, qui m'envoie. Il ne trouve pas normal que je reste silencieux pendant de longues périodes. Et ces silences qui durent de plus en plus... alors que je pourrais très vite m'en sortir, de cette classe de rattrapage ! Ils n'osent pas dire d'« arriérés »...

La psychologue veut que je lui parle du choc de l'exil. Qu'est-ce qu'elle en sait, elle, si j'ai souffert ? Son bureau n'est pas avenant. Il n'est pas à elle, on est en terrain neutre. Elle est austère. Elle ressemble aux curés qui trouvent de la vertu dans la souffrance, qui vous aiment uniquement si vous en bavez plus que les autres. Je lui ai répondu que ce serait mieux si tous les enfants qui naissaient étaient des gosses de riche. Elle a souri, c'est tout. Peut-être que les psychologues préfèrent qu'on soit pauvres, comme ça ils se considèrent un peu comme nos pères ou nos mères. Mais je ne veux pas de cette mère-là ! Elle n'a pas de fesses, et des seins énormes ! Pas comme Naïla, qui avait ce qu'il fallait, devant et derrière. Schoëder et Guz fréquentent aussi le bureau administratif jaune de cette dame. Elle me demande de dessiner, d'écrire ce qui me passe par la tête.

— Et ton père ?

Elle veut toujours que je lui parle de mon père. Je ne sais pas pourquoi. Je parle davantage de ma mère.

— Mon père !

— Oui, ton papa...

J'ai un sourire moqueur dirigé contre mon père. Je lui réponds :

— Mon père, il a dit comme ça que d'ici à trois ans on sera un peu riches et qu'on retournera au pays...

— Tu en penses quoi, toi ?

Je regarde par la fenêtre quand elle me parle, pourtant elle a un visage gracieux.

— Je pense que c'est faisable... si le patron de mon père lui offre un marteau piqueur turbo !

Le père de Guz est mort dans une prison espagnole, où la politique l'avait entraîné. Guz déteste Franco. Du coup, j'ai appris qui c'était, celui-là. Notre Ben Bella est moins cruel que leur président, il n'a encore garrotté personne. C'est parce qu'elle ne supportait plus le climat politique que Mme Guzman a fui l'Espagne avec son fils sous le bras. Guz n'a pas connu son père. Il n'a que des photographies de lui. Chez la mère de Guz, il me semble reconnaître l'expression morne et hagarde des gens qui n'ont jamais fait le deuil d'un être cher... J'ai déjà vu ce regard chez ceux du bled dont le fils avait fini dans un charnier...

La psychologue parle de « libido ». C'est le mot le plus moche à écrire que je connaisse. Quand on le prononce, il évoque un jeu... « Li... bi... do... » À moins d'écrire : « lit, bi (deux) »... Je comprends mieux comme ça. Lorsque je ne saisis pas le sens d'un mot qu'elle emploie, je l'écris. « Trauma » : « trop mal ». Ça me parle davantage. Je lui ai demandé si pour voyager loin il fallait aussi se débarrasser du bon Dieu.

— Il faudrait, mais c'est le plus difficile...

— Parce qu'Il s'accroche ?

— Parce que c'est Lui qui désire te laisser libre !...

— Merde alors !

Avec ça, j'ai de quoi cogiter pendant mes longues périodes de silence...

Dans notre classe, il y a une seule fille, et d'après Schoëder elle cacherait dans son cartable le flingue avec lequel son père fait des casses. Elle n'adresse la parole qu'à Schoëder. Lui, il lui a promis de garder le secret. Les flics ne penseront jamais à chercher l'arme dans le sac de la petite, c'est ce que lui a dit son père. Elle en est fière ! Sa mère est toxicomane, elle se shoote à l'éther...

Schoëder craint qu'on nous sépare. Si je deviens un bon élève — et ça en prend la tournure — je rejoindrai une classe normale. Il voudrait que je progresse moins vite... Sa demande m'a ému. Guz me conseille de faire comme lui et Schoëder : rien. Tous les trois, nous courons comme des damnés, la gueule ouverte dans le vent. Nous narguons la vie ! Je cours plus vite que mes deux camarades. J'avale l'air à pleins poumons. Le vent me décoiffe et me gifle ; j'en ai les larmes aux yeux, le nez qui coule. Schoëder et Guz me rejoignent. Ils sont essoufflés, écarlates, ils ont aussi des larmes dans les yeux. Mais chez moi, ce sont de vraies larmes ; même si je ne sais pas ce qui les a provoquées. Schoëder veut nous montrer la surprise qu'il cache. Il sort un pistolet noir. La crosse est en ivoire ciselé. Je recule. J'ai peur des armes comme des serpents. Guz veut toucher le flingue. Schoëder refuse. Il veut que je sois le premier, dit-il. C'est le flingue de la petite blonde de notre classe. Schoëder a réussi à le lui prendre dans son cartable. Il lève l'arme, dirige le canon vers le ciel. Son index se replie sur la détente. Il hurle :

— Ravaillac ! Ravaillac !

Et il tire. Un *pan* du diable ! Avec le recul, Schoëder tombe à la renverse. Un silence impressionnant s'installe. Nous nous regardons. La peur, les nerfs. On pouffe.

— À toi !

Je ne veux pas. Guz s'empare du pistolet, il le soupèse, le caresse. Il n'en revient pas d'avoir un vrai flingue entre les mains, une arme qui tue. Il ne veut pas tirer dans le vide, il cherche une cible. Le terrain vague s'étend à perte de vue. Il y a des arbustes, des carcasses de voitures désossées, des braises encore fumantes qui ont servi à brûler des fils électriques pour en extraire le cuivre : c'est une décharge sauvage qui suinte comme une énorme poubelle. Au loin, on aperçoit un couple ahanant sur le ballast de la voie ferrée. On les suit. On va leur faire peur. On en rit d'avance. Le couple disparaît derrière un monticule de terre. La femme, qui a du mal à avancer, s'est laissée glisser sur le cul. Guz ouvre le chargeur. Les cartouches sont alignées comme des cigarettes dans un paquet, elles ont un bout rond, jaune cuivré et brillant. On avance jusqu'à la dune. Là, discrètement, comme des cow-boys en embuscade, on s'allonge pour épier. Le couple est devant nous, à une dizaine de pas. Ce sont des vieux de l'hospice de Nanterre. Ils s'apprêtent à forniquer. La vieille, sur le dos, grimace sous le poids de l'homme qui peine à la pénétrer. Ils sont restés tout habillés. La femme a seulement retroussé sa jupe épaisse. Ses cuisses sont violettes, ses mollets rouges. Guz veut tirer une balle dans les fesses du vieux.

— C'est dangereux ! dit Schoëder, que l'idée fait tout de même rire.

— On est tout près, on peut pas le rater, répond Guz.

Et c'est là que se produit le plus drôle : las de ne pouvoir besogner la vieille à son aise, le vieux baisse son pantalon et offre ainsi son cul tout blanc comme cible. Guz n'en demandait pas tant. Il tend le bras, ferme un œil, vise les fesses. Je recule. La vieille crie au moment où le sexe de son amant la pénètre. Ses bras se détendent, ses jambes se raidissent, on dirait un pantin désarticulé, puis elle se fige. Un train de marchandises surgit à vive allure. Le roulis métallique couvre les bruits du monde, nos rires, les plaintes de la vieille. Le sifflet strident retentit, actionné par le mécanicien moqueur qui vient d'apercevoir le couple en action. L'arme noire brille dans les mains tremblantes de Guz. Les vieux excités ont le visage en sueur. Ils poussent de drôles de râles. Le train n'en finit pas, il est très long. Tout ça me fait peur.

Je déguerpis, et comment ! sans me retourner. Je cours vers les bâtiments. Ils sont loin. J'aperçois les toits. Je fuis à perdre haleine. Je n'en peux plus. Je m'étale sur un morceau de gazon humide. Je suis étendu sur le dos, les bras en croix, je regarde le ciel... *Leur* ciel ! Gris, opaque : on pourrait presque le toucher avec la main. Pour que les gens puissent s'envoler, tout dépend de la hauteur du ciel ! Les Africains, désinvoltes et dénudés, avec leur langueur sensuelle, vivent sous un ciel bleu immense et transparent. Ils ne sont guère concernés par les choses bassement matérielles. Le train s'éloigne, j'entends un brame terrible et magnifique !

Guz et Schoëder surgissent, hilares.

— Tu as entendu ? le coup de feu !...

— Non ! Le vieux ? ! Tu l'as touché ?

— Il est mort tout seul, la vieille s'est dégagée et elle nous a insultés. Après, on a tiré chacun une balle sur le train !

— Debout ! Debout vite !

Mon père ne crie pas, il hurle. Dans sa voix, je discerne immédiatement une peur effroyable. Je saute de ma paillasse...

— Sauvez-vous ! Dehors tous ! répète mon père.

Ma mère prie le ciel, le bon Dieu, sa mère, Lalla Maghsia, Sidi Ali, enfin tous ceux qu'on a laissés là-bas... Elle court dans tous les sens, éperdue. Dans la confusion, il faut absolument sauver certaines choses indispensables. On ne sait pas quelle heure il est. Arrachés au sommeil, mes frères et moi sommes hébétés et transis. Ma mère crie :

— *Nar ! Nar !* Le feu ! Le feu...

Noria sur son dos, mon petit frère devant elle : elle nous pousse, pieds nus, hors de la baraque. Je retourne chercher mon cartable et par la même occasion j'embarque aussi le gros poste de radio de mon père. Il me suit avec un couffin dans lequel il a entassé ce qu'on a de plus précieux : la quincaillerie que ma mère porte au cou et aux poignets. On se bouscule dans l'allée enfumée et étroite du labyrinthe. Il y a les voisins, les pompiers, des flics, des enfants... On se croise, on trébuche, on se relève, on maudit cette boue glacée qui colle au pyjama. Ma mère nous compte et nous recompte. Tout à coup elle hurle : un cri terrible, presque aussi violent et désespéré que celui qu'elle a poussé quand ma sœur est morte, et qui m'avait fait l'effet d'un gros clou de forgeron qu'on m'aurait enfoncé dans la tête ! Puis son esprit disjoncte : elle devient folle. De la tête aux pieds, ses forces décuplent : tous ceux qui gênent sa progression, elle les fait basculer à la renverse. Elle retourne vers la baraque :

— Noria ! Noria ma fille !

Tout le bidonville l'entend, même les Français qui regardent du haut de leurs blocs de béton gris.

— Elle est sur ton dos ! répond mon père à ce terrible cri.

Ma mère s'arrête net. Elle tombe à genoux. Avec ses mains, elle tâte le corps de Noria sur son dos, sous la *fota*. Les pompiers déroulent leurs tuyaux. J'ai les pieds boueux, je me chausse. Les sirènes des voitures de police et de pompiers sifflent. Les unes ont des gyrophares bleus, les autres jaunes. Les lumières virevoltent sur des visages transis de peur, des gueules de rien du tout, des gens aux bras ballants. Parmi eux, il y a un vieux célibataire qui dans sa fuite n'a emporté que le Livre, le saint Coran, dont il embrasse la couverture et qu'il protège sous son bras. Je suis dos aux bâtiments gris et je n'ose pas me retourner de peur d'être reconnu par un de mes camarades de classe. J'ai honte. J'ai honte de nous. Nous sommes à la périphérie du bidonville. Nous regardons les grandes flammes rouges et jaunes monter rageusement vers le ciel. Le bois brûle dans le labyrinthe, on l'entend craquer. Nos baraques se consument. Les bouteilles de gaz explosent. Après la panique, le spectacle !

Au moment de fuir, j'ai eu assez de sang-froid pour me souvenir d'une chose importante. Sous la feuille de formica du buffet où sont alignés les verres à thé, ma mère cachait de l'argent. J'ai tout pris. Un franc cinquante... Juste de quoi m'acheter le cahier et le stylo dont j'ai besoin pour l'école. Jusqu'à présent je n'avais pas osé demander cette somme à mon père.

Des nuages de fumée tournoient au-dessus du bidonville : un véritable chaos. Les plaques de zinc claquent sur les toits. Le vent mugit, les flammes sont immenses. Une odeur irritante s'insinue partout. Le maire arrive avec toute sa clique. Immédiatement, je ne l'aime pas. Je détecte chez lui des gestes qui le trahissent : il est exaspéré par cette population de pauvres qui, décidément, ne sait pas se faire oublier. Il se précipite vers les flics et les pompiers qui sont en train d'essayer de calmer et de raisonner les gens. Ils ont ceinturé un Biskri. Il est devenu fou. Ils le balancent dans le camion de la grande échelle. Il voulait se précipiter dans le feu où sont encore prisonniers cinq de ses enfants. Sa femme est voilée, petite et ronde. Pieds nus dans une flaque, elle tient deux enfants. Elle a l'air d'un zombie... Dans son regard on lit ce sentiment de fatalité des femmes de chez nous. Elle ne tente plus de récupérer quoi ou qui que ce soit... Elle a sauvé son nourrisson et son petit de deux ans. Pour les autres, elle ne sait pas, elle ne sait plus, ce qu'elle aurait pu — ou ce qu'elle n'a pas su — faire... Ses yeux sont morts, son corps est inerte. On pourrait la déplacer comme un bloc : elle ne s'en rendrait même pas compte. Des femmes pleurent autour d'elle et l'étreignent. Enfermé dans le camion, son mari tambourine contre les vitres. Il se griffe les joues, s'arrache les cheveux, c'est l'horreur ! Lorsque le feu a ravagé sa baraque, il était au bistro : c'est un joueur de poker...

Ce matin, je suis convoqué dans le bureau du directeur. Sa secrétaire, une duègne chétive, le chignon en pelote de laine noire, me demande d'attendre. Sa voix éraillée et voilée (elle doit bien fumer un paquet par jour !) écorche mon nom.

Le directeur arrive, il m'ignore. Il s'agite, s'empêtre dans ses dossiers, rouspète, s'énerve... Ces nouveaux immigrants, qui débarquent par bateaux entiers dans son établissement, ça le tue ! Et moi ça me fait bien plaisir... Ils croient peut-être qu'on est tous nés pour être heureux ! Il me voit, il s'immobilise, il me jauge.

— Qui c'est, celui-là ?

— L'affaire Guzman ! répond la revêche qui ressemble à Olive, la femme de Popeye.

Il me fait asseoir. Il a le teint cireux et une tête de bœuf. Il reprend son souffle.

— Tu es du 7 !

— Non, monsieur.

Il est déçu et moi aussi, j'aurais préféré qu'il gagne du premier coup. Il interrompt ma réflexion.

— Des Tartarins !...

— Non plus, monsieur le directeur.

Il ne sait pas où habitent ses élèves : ça la fiche mal. Pour ne plus voir son air à la fois suffisant et pathétique, je viens à son secours en lui disant que je suis des Pâquerettes.

— Ah oui, oui, bien sûr !

— La déposition est sous l'encrier ! dit Olive, depuis son bureau.

Il me désigne une feuille, il la fait pivoter pour qu'elle soit à l'endroit devant moi et il me tend un stylo bleu.

— Signe ça, concernant le vol de disques commis par ton camarade Guzman !

— Je ne sais pas, monsieur.

— Il en a chipé dans les cartables de Prieur et Monforgé !

— Je ne sais pas, monsieur.

— Si, tu sais, puisque tu écoutes de la musique chez lui !

Il devient méprisant.

— Il a beaucoup de disques ?

— Un peu, monsieur.

— Ce n'est certainement pas avec ses

ménages que sa mère peut les lui acheter ! Je ne veux pas de voleurs dans mon école ! Signe-moi ce témoignage et je le fiche dehors !

J'aurais mieux fait de la signer, et des deux mains, la déposition contre Guz.

L'après-midi, avec Schoëder, on a réussi à entraîner Momo, la gamine au flingue, dans notre galère. Elle était plus vive que d'habitude et elle était partante pour faire une bêtise. Guz a dit : « On va chez moi. » Sauf qu'arrivé à la porte de son immeuble, il a refusé que j'entre. Ils sont montés tous les trois. J'enrageais. Je lui aurais cassé la figure, à ce voleur de disques !

Les militants du parti unique algérien sont venus empocher la dîme révolutionnaire. Mon père y va de ses cinq francs. Ils lui remettent le timbre mensuel qu'il colle sur son carnet du parfait camarade. Ils viennent la nuit, comme en temps de guerre. Moi, avec leurs imperméables sombres et leurs chapeaux, ils me font penser à des maffieux. Les gens les craignent, alors ils paient... Cinq francs, une fois par mois, c'est une somme ! Ils ne doivent pas s'ennuyer, avec ce qu'ils se mettent dans les poches.

Le père de Schoëder est venu le chercher à la sortie de l'école pour l'emmener au restaurant. Schoëder est content, mais il refuse d'y aller avec la femme qui attend dans la voiture de son père, une DS bleu ciel, avec le toit ocre.

— Elle est gentille ! dit son père en regardant avec un sourire mielleux la poupée assise à côté du volant.

— C'est pas ma mère, vire-la ! gueule Schoëder.

Dépité, le père souffle :

— Tu la reconnais ?

— Oui, je l'ai reconnue, ta grognasse, et alors ? crie Schoëder, prêt à tout casser.

Il ajoute :

— C'est la salope qui anime l'émission de philatélie à la télé ! Je m'en branle !

On s'en va. Il me dit :

— Mon père aurait voulu être célèbre, il sort qu'avec des femmes comme ça...

Son père est figurant dans le cinéma, c'est-à-dire qu'on le voit dans les films mais qu'il ne dit jamais rien.

Ma mère, une fois son ménage fini et sa tambouille préparée, s'assied au bord du lit. Elle reste là, prostrée, ses mains fines et tatouées posées sur les cuisses. Un foulard aux tons vert et bleu lui serre le front. Machinalement, ses doigts tressent les fils qui pendent du fichu rose qu'elle porte sur les épaules. Elle n'allume pas la radio arabe, jugeant obscènes certains textes de chansons. Elle nous regarde, mes frères et moi, faire nos devoirs, les cahiers sur les genoux. Durant ces deux premiers mois en France, ma mère n'a pas mis un pied dehors.

Personne n'a pu la convaincre de sortir, avec ou sans voile. Avec, elle n'arrive pas à soutenir les regards. Sans, elle a peur de passer pour une femme frivole auprès de ses compatriotes. Alors, on la laisse expier, tranquille. On attend l'occasion. Je connais ma mère : elle finira par bouger. Le bruit court que la mairie a ouvert les inscriptions pour les enfants désirant partir en colonie de vacances. Ma mère voudrait bien, ne serait-ce qu'une quinzaine de jours, se débarrasser de mon frère et moi. Deux enfants en moins à la maison, ce serait déjà un peu de repos.

Et voilà ma mère qui sort. Dans la rue. Sans son fichu haïk ! Elle a la tête qui tourne. La lumière d'ici l'aveugle.

— Attends ! doucement !

Elle trouve que je marche trop vite. Elle est gauche. Je lui donne la main pour la rassurer. Elle porte un manteau moche vert bouteille. Les tons clairs du col ajouré de sa robe donnent de l'éclat à son visage et à ses yeux noirs. Je lui apprends comment traverser au feu rouge et dans les clous. Je lui montre la boulangerie où elle m'envoie chercher du pain. Quand nous croisons des Arabes, elle baisse la tête : sans son voile elle a honte. Les trottoirs, propres et solides, et le bitume l'enchantent. On est bien loin de la boue de notre baraque. Elle lève les yeux, sourit aux rues nouvelles, à la rumeur sympathique du centre-ville. Nous nous promenons dans le Monoprix. Elle n'en revient pas... Toutes ces richesses sont à portée de la main : inutile de faire la queue, pas de bousculade, des étals abondamment fournis, des rayons, des allées... Elle écarquille les yeux, elle porte les produits à son nez pour les sentir. Elle ouvre discrètement des sacs de farine et de semoule. Elle tâte, elle pèse, elle soupire...

— Touche à rien, maman !

Elle s'en fiche, elle fendrait les fruits tropicaux, jamais vus, inconnus d'elle. Les jets d'eau du bassin de la mairie lui tirent un délicieux sourire d'enfant.

— Que d'eau ! Ils ont de la chance, Dieu les aime.

Nous voilà dans les bureaux de la mairie. Ma mère me dit :

— On montre la fiche de paie de ton père et tu leur dis qu'ils vous inscrivent, ton frère et toi, dans la colonie de vacances, à moitié prix, tu entends, la moitié !

— Oui, maman !

Je fais l'interprète, avec le livret de famille et tout et tout. Je dis comme maman m'a dit. La dame du guichet me coupe la parole sèchement et me fait comprendre que toutes les places disponibles pour les enfants immigrés, deux par classe de trente enfants, ont été attribuées.

— Qu'est-ce qu'elle t'a dit ?

J'ai répondu à maman qu'il n'y avait plus de places. On est revenus sur nos pas en traînant les pieds sur le gravier des allées propres du parc. On s'est assis sur un banc, au bord du bassin. Je n'avais jamais vu de poissons rouges. Il y en avait beaucoup ; et d'autres belles couleurs aussi. Ma mère a ouvert le paquet de sucre qu'on venait d'acheter. On a croqué trois morceaux chacun.

Elle me demande si les Français d'ici sont différents de ceux qui étaient là-bas, je lui réponds :

— Là-bas ils ne nous envisageaient pas, ici ils nous dévisagent...

L'être est curieux ! se dit-elle à elle-même.

Elle aime beaucoup cette phrase. Elle l'emploie pour se rassurer au sujet de tout ce dont l'être humain est capable. Rien ne l'étonnera plus jamais.

Je lui dis :

— Tu sais, maman, moi...

Elle me coupe :

— *Anaïa ! Anaïa !* Moi ! Moi ! Moi !... Tu ne sais dire que ça, mon fils. Moi, *anaïa* !

DU MÊME AUTEUR

Aux Éditions du Mercure de France

LE THÉ AU HAREM D'ARCHI AHMED, 1983 (Folio n° 1958)

LE HARKI DE MERIEM, 1989 (Folio n° 2310)

LA MAISON D'ALEXINA, 1999 (Folio n° 3402)

À BRAS-LE-CŒUR, 2006. Prix Beur FM 2007 (Folio n° 4575)

Chez d'autres éditeurs

1962, LE DERNIER VOYAGE, *L'Avant-Scène*, 2005

COLLECTION FOLIO

Dernières parutions

4319. Henry James — *Le menteur.*
4320. Jack London — *La piste des soleils.*
4321. Jean-Bernard Pouy — *La mauvaise graine.*
4322. Saint Augustin — *La Création du monde et le Temps.*
4323. Bruno Schulz — *Le printemps.*
4324. Qian Zhongshu — *Pensée fidèle.*
4325. Marcel Proust — *L'affaire Lemoine.*
4326. René Belletto — *La machine.*
4327. Bernard du Boucheron — *Court Serpent.*
4328. Gil Courtemanche — *Un dimanche à la piscine à Kigali.*
4329. Didier Daeninckx — *Le retour d'Ataï.*
4330. Régis Debray — *Ce que nous voile le voile.*
4331. Chahdortt Djavann — *Que pense Allah de l'Europe?*
4332. Chahdortt Djavann — *Bas les voiles!*
4333. Éric Fottorino — *Korsakov.*
4334. Charles Juliet — *L'année de l'éveil.*
4335. Bernard Lecomte — *Jean-Paul II.*
4336. Philip Roth — *La bête qui meurt.*
4337. Madeleine de Scudéry — *Clélie.*
4338. Nathacha Appanah — *Les rochers de Poudre d'Or.*
4339. Élisabeth Barillé — *Singes.*
4340. Jerome Charyn — *La Lanterne verte.*
4341. Driss Chraïbi — *L'homme qui venait du passé.*
4342. Raphaël Confiant — *Le cahier de romances.*
4343. Franz-Olivier Giesbert — *L'Américain.*
4344. Jean-Marie Laclavetine — *Matins bleus.*
4345. Pierre Michon — *La Grande Beune.*
4346. Irène Némirovsky — *Suite française.*
4347. Audrey Pulvar — *L'enfant-bois.*
4348. Ludovic Roubaudi — *Le 18.*
4349. Jakob Wassermann — *L'Affaire Maurizius.*
4350. J. G. Ballard — *Millenium People.*

4351. Jerome Charyn	*Ping-pong.*
4352. Boccace	*Le Décameron.*
4353. Pierre Assouline	*Gaston Gallimard.*
4354. Sophie Chauveau	*La passion Lippi.*
4355. Tracy Chevalier	*La Vierge en bleu.*
4356. Philippe Claudel	*Meuse l'oubli.*
4357. Philippe Claudel	*Quelques-uns des cent regrets.*
4358. Collectif	*Il était une fois... Le Petit Prince.*
4359. Jean Daniel	*Cet étranger qui me ressemble.*
4360. Simone de Beauvoir	*Anne, ou quand prime le spirituel.*
4361. Philippe Forest	*Sarinagara.*
4362. Anna Moï	*Riz noir.*
4363. Daniel Pennac	*Merci.*
4364. Jorge Semprún	*Vingt ans et un jour.*
4365. Elizabeth Spencer	*La petite fille brune.*
4366. Michel tournier	*Le bonheur en Allemagne?*
4367. Stephen Vizinczey	*Éloge des femmes mûres.*
4368. Byron	*Dom Juan.*
4369. J.-B. Pontalis	*Le Dormeur éveillé.*
4370. Erri De Luca	*Noyau d'olive.*
4371. Jérôme Garcin	*Bartabas, roman.*
4372. Linda Hogan	*Le sang noir de la terre.*
4373. LeAnne Howe	*Équinoxes rouges.*
4374. Régis Jauffret	*Autobiographie.*
4375. Kate Jennings	*Un silence brûlant.*
4376. Camille Laurens	*Cet absent-là.*
4377. Patrick Modiano	*Un pedigree.*
4378. Cees Nooteboom	*Le jour des Morts.*
4379. Jean-Chistophe Rufin	*La Salamandre.*
4380. W. G. Sebald	*Austerlitz.*
4381. Collectif	*Humanistes européens de la Renaissance.* (à paraître)
4382. Philip Roth	*La contrevie.*
4383. Antonio Tabucchi	*Requiem.*
4384. Antonio Tabucchi	*Le fil de l'horizon.*
4385. Antonio Tabucchi	*Le jeu de l'envers.*
4386. Antonio Tabucchi	*Tristano meurt.*
4387. Boileau-Narcejac	*Au bois dormant.*
4388. Albert Camus	*L'été.*
4389. Philip K. Dick	*Ce que disent les morts.*

4390. Alexandre Dumas	*La dame pâle.*
4391. Herman Melville	*Les Encantadas, ou Îles Enchantées.*
4392. Pidansat de Mairobert	*Confession d'une jeune fille.*
4393. Wang Chong	*De la mort.*
4394. Marguerite Yourcenar	*Le Coup de Grâce.*
4395. Nicolas Gogol	*Une terrible vengeance.*
4396. Jane Austen	*Lady Susan.*
4397. Annie Ernaux/ Marc Marie	*L'usage de la photo.*
4398. Pierre Assouline	*Lutetia.*
4399. Jean-François Deniau	*La lune et le miroir.*
4400. Philippe Djian	*Impuretés.*
4401. Javier Marías	*Le roman d'Oxford.*
4402. Javier Marías	*L'homme sentimental.*
4403. E. M. Remarque	*Un temps pour vivre, un temps pour mourir.*
4404. E. M. Remarque	*L'obélisque noir.*
4405. Zadie Smith	*L'homme à l'autographe.*
4406. Oswald Wynd	*Une odeur de gingembre.*
4407. G. Flaubert	*Voyage en Orient.*
4408. Maupassant	*Le Colporteur* et autres nouvelles.
4409. Jean-Loup Trassard	*La déménagerie.*
4410. Gisèle Fournier	*Perturbations.*
4411. Pierre Magnan	*Un monstre sacré.*
4412. Jérôme Prieur	*Proust fantôme.*
4413. Jean Rolin	*Chrétiens.*
4414. Alain Veinstein	*La partition*
4415. Myriam Anissimov	*Romain Gary, le caméléon.*
4416. Bernard Chapuis	*La vie parlée.*
4417. Marc Dugain	*La malédiction d'Edgar.*
4418. Joël Egloff	*L'étourdissement.*
4419. René Frégni	*L'été.*
4420. Marie NDiaye	*Autoportrait en vert.*
4421. Ludmila Oulitskaïa	*Sincèrement vôtre, Chourik.*
4422. Amos Oz	*Ailleurs peut-être.*
4423. José Miguel Roig	*Le rendez-vous de Berlin.*
4424. Danièle Sallenave	*Un printemps froid.*
4425. Maria Van Rysselberghe	*Je ne sais si nous avons dit d'impérissables choses.*

4426. Béroalde de Verville — *Le Moyen de parvenir.*
4427. Isabelle Jarry — *J'ai nom sans bruit.*
4428. Guillaume Apollinaire — *Lettres à Madeleine.*
4429. Frédéric Beigbeder — *L'Égoïste romantique.*
4430. Patrick Chamoiseau — *À bout d'enfance.*
4431. Colette Fellous — *Aujourd'hui.*
4432. Jens Christian Grøndhal — *Virginia.*
4433. Angela Huth — *De toutes les couleurs.*
4434. Cees Nooteboom — *Philippe et les autres.*
4435. Cees Nooteboom — *Rituels.*
4436. Zoé Valdés — *Louves de mer.*
4437. Stephen Vizinczey — *Vérités et mensonges en littérature.*
4438. Martin Winckler — *Les Trois Médecins.*
4439. Françoise Chandernagor — *L'allée du Roi.*
4440. Karen Blixen — *La ferme africaine.*
4441. Honoré de Balzac — *Les dangers de l'inconduite.*
4442. Collectif — *1,2,3... bonheur !*
4443. James Crumley — *Tout le monde peut écrire une chanson triste* et autres nouvelles.
4444. Niwa Fumio — *L'âge des méchancetés.*
4445. William Golding — *L'envoyé extraordinaire.*
4446. Pierre Loti — *Les trois dames de la Kasbah* suivi de *Suleïma.*
4447. Marc Aurèle — *Pensées (Livres I-VI).*
4448. Jean Rhys — *À septembre, Petronella* suivi de *Qu'ils appellent ça du jazz.*
4449. Gertrude Stein — *La brave Anna.*
4450. Voltaire — *Le monde comme il va* et autres contes.
4451. La Rochefoucauld — *Mémoires.*
4452. Chico Buarque — *Budapest.*
4453. Pietro Citati — *La pensée chatoyante.*
4454. Philippe Delerm — *Enregistrements pirates.*
4455. Philippe Fusaro — *Le colosse d'argile.*
4456. Roger Grenier — *Andrélie.*
4457. James Joyce — *Ulysse.*
4458. Milan Kundera — *Le rideau.*
4459. Henry Miller — *L'œil qui voyage.*
4460. Kate Moses — *Froidure.*

4461. Philip Roth — *Parlons travail.*
4462. Philippe Sollers — *Carnet de nuit.*
4463. Julie Wolkenstein — *L'heure anglaise.*
4464. Diderot — *Le Neveu de Rameau.*
4465. Roberto Calasso — *Ka.*
4466. Santiago H. Amigorena — *Le premier amour.*
4467. Catherine Henri — *De Marivaux et du Loft.*
4468. Christine Montalbetti — *L'origine de l'homme.*
4469. Christian Bobin — *Prisonnier au berceau.*
4470. Nina Bouraoui — *Mes mauvaises pensées.*
4471. Françoise Chandernagor — *L'enfant des Lumières.*
4472. Jonathan Coe — *La Femme de hasard.*
4473. Philippe Delerm — *Le bonheur.*
4474. Pierre Magnan — *Ma Provence d'heureuse rencontre.*
4475. Richard Millet — *Le goût des femmes laides.*
4476. Pierre Moinot — *Coup d'État.*
4477. Irène Némirovsky — *Le maître des âmes.*
4478. Pierre Péju — *Le rire de l'ogre.*
4479. Antonio Tabucchi — *Rêves de rêves.*
4480. Antonio Tabucchi — *L'ange noir.* (à paraître)
4481. Ivan Gontcharov — *Oblomov.*
4482. Régine Detambel — *Petit éloge de la peau.*
4483. Caryl Férey — *Petit éloge de l'excès.*
4484. Jean-Marie Laclavetine — *Petit éloge du temps présent.*
4485. Richard Millet — *Petit éloge d'un solitaire.*
4486. Boualem Sansal — *Petit éloge de la mémoire.*
4487. Alexandre Dumas — *Les Frères corses.* (à paraître)
4488. Vassilis Alexakis — *Je t'oublierai tous les jours.*
4489. René Belletto — *L'enfer.*
4490. Clémence Boulouque — *Chasse à courre.*
4491. Giosuè Calaciura — *Passes noires.*
4492. Raphaël Confiant — *Adèle et la pacotilleuse.*
4493. Michel Déon — *Cavalier, passe ton chemin!*
4494. Christian Garcin — *Vidas* suivi de *Vies volées.*
4495. Jens Christian Grøndahl — *Sous un autre jour.*
4496. Régis Jauffret — *Asiles de fous.*
4497. Arto Paasilinna — *Un homme heureux.*
4498. Boualem Sansal — *Harraga.*